문화콘텐츠론

문화콘텐츠론

발　행 2024년 3월 2일 개정증보판 1쇄
　　　 2024년 3월 15일 개정증보판 2쇄
지은이 임대근
펴낸이 김정은
펴낸곳 ACCI
출판등록 제25100-2024-023호
주　소 (02748) 서울특별시 성북구 화랑로5길 86, 1층(하월곡동)
이메일 asiacci@naver.com
홈페이지 http://www.acci.asia
인스타그램 @asiacci

ISBN 979-11-961938-2-9

www.acci.asia
ⓒ 임대근 2024

문화콘텐츠론

임 대 근

차례

개정증보판 머리말

 이 책의 초판은 2021년 『문화콘텐츠 연구』라는 제목으로 한음 출판에서 나왔다. 이번에 출간하는 개정증보판은 초판을 출판한 뒤 쓴 글을 두 장으로 나누어 더 넣었다. 제5장 「문화콘텐츠의 연구 방법」과 제6장 「문화콘텐츠의 사회적 기능」이다. 초판에서 제5장에 두었던 보론 「문화·환경·기술: 의미작용과 지식 생산의 재구성」은 자연스럽게 제7장으로 옮겨졌다.

 이로써 문화콘텐츠를 담론화하려는 기획은 대체로 일단락되었다고 말할 수 있다. 연구를 거듭하다 보면, 더 나아간 논의를 덧붙여야 할지도 모르겠지만, 지금으로서는 여기까지가 최선의 결과다. 앞으로는 문화콘텐츠에 관한 조금 더 대중적인 교재를 준비할 계획이다.

 문화콘텐츠에 관한 연구 행위를 분과학문 개념을 내포한 '문화콘텐츠학'이라는 이름보다 학제적 혹은 초학제적 개념을 반영한

'문화콘텐츠연구'라는 이름으로 불러야 한다는 생각에는 변함없다. 그러나 초판 출판 이후, 여러 독자와 학생이 책의 제목을 '문화콘텐츠학'으로 바꾸면 좋겠다는 제안을 해 왔다. 처음에는 그들이 나의 책을 충분히 읽지 않았다는 서운함에 그런 제안을 일언지하에 거절했다. 그러나 귀가 얇은 나로서는 시간이 갈수록, 설령 더욱 올바른 표현이 있다고 해도, 사람들이 편하게 쓰는 쪽으로 타협하자는 제안 역시 적잖은 고민의 산물이라는 점을 이해하게 되었다. 그렇다 해도 '문화콘텐츠학'을 제목으로 삼을 수는 없었다. 그것은 이 책에서 주장하는 바와 정면으로 배치되는 표현이기 때문이다. 그래서 절충안으로 '문화콘텐츠론'을 개정증보판의 제목으로 삼는다. 언젠가 세 번째 판을 다시 낼 수 있을지 모르지만, 그때는 다시 책의 제목을 바꿀지도 모르겠다.

개정증보판에는 새로운 장이 덧붙여진 것 말고도, 초판의 난삽한 문장을 과감히 다듬었다. 이렇게 깁고 손질한 개정증보판을 사단법인 아시아문화콘텐츠연구소의 출판브랜드 ACCI의 이름으로 다시 세상에 내놓는다. 책이 나오기까지 수고를 마다하지 않은 김정은 박사에게 감사한다. 아름다운 장정을 만들어 준 정하늘 군에게 감사한다. 문화콘텐츠 담론에 관심을 두고 연구하는 동항同行에게 깊이 감사한다. 많은 질정을 바란다.

2024년 2월
돌돌재에서 임대근

책 머리에

　'문화콘텐츠'라는 용어를 처음 만났을 때, 나는 적잖이 불편했다. 이 용어가 막 유행하기 시작했을 때만 해도 그 개념이 '문화산업'과 크게 다를 바 없다고 생각했기 때문이다. 두루 아는 바와 같이 '문화산업'cultural industry은 프랑크푸르트의 비판론자들인 테오도어 아도르노Theodor Adorno와 막스 호르크하이머Max Horkheimer가 1947년 출판한 공저 『계몽의 변증법』Dialectic of Enlightenment에서 처음으로 제시한 신조어다. 그들은 이 책의 한 편장 「문화산업: 대중 기만으로서의 계몽」에서 이렇게 쓴다.

　　문화산업의 기만은 그것이 재미를 제공한다는 데 있는 것이 아니라, 해체 과정 속에 있는 문화의 진부한 이데올로기와 연루된 문화산업의 상업적 고려가 재미를 망친다는 데 있다. 문화산업이 생각하는 윤리나 취향상의 고려는 무제한한 재미를 순진한 것으로 삭제함으로

써 ― 순진성은 지성주의처럼 사악시된다 ― 기술적 잠재력마저 제약한다. 문화산업은 타락이다.[1]

'문화콘텐츠'는 이제 보편적인 용어로 자리 잡았다. 이 용어는 때로는 '문화'를 확장하는 것 같기도 하고, '문화'를 배신하는 것 같기도 하다. 무엇보다 새로 생겨났다는 까닭으로 용어를 앞에 두면 불안하기 그지없다. 불안은 어디에서 비롯되는가? 불안은 미지에서 온다. 그것은 때로 대상이 불안정unstable하다는 사실을 가리키기도 하고 때로 주체가 불확실uncertain하다는 사실을 가리키기도 한다. 이런 불안정과 불확실은 심리적 불안감anxiety으로 확장되기도 한다. 문화콘텐츠에 대한 불안은 과연 무엇인가? 그것은 문화콘텐츠의 규모가 지나치게 크고, 경계가 모호하다는 점에서 비롯되는 해체 불안이기도 하고, 기존의 분과학문으로부터 동떨어져서 독립적인 학문적 체계를 세워야 한다는 분리 불안이기도 하며, 앞선 학문적·실천적 모델이 존재하지 않는 데서 오는 실패 불안이기도 하다. 그렇다면 이제 이 불안을 어떻게 극복할 것인가?

'문화콘텐츠'라는 용어가 먼저 태어나고, 그에 따른 풍부한 개념화가 이뤄지지 않았던 초기에 "문화콘텐츠란 무엇인가?"라는 물음은 중요하고도 시급한 일이었다. 문화콘텐츠가 보유하고 있는 모종의 가능성을 문화산업이라는 개념으로 환원할 수는 없었기 때문이

---

1 Theodor Adorno & Max Horkheimer, 김유동 옮김, 『계몽의 변증법』, 문학과지성사, 2001, 184쪽.

다. 물론 문화산업은 이제 비판론자들의 우려를 넘어서서 업계는 물론 정책 담당자나 학문 연구자에게도 익숙한 개념으로 자리 잡았다. 문화가 곧 산업일 수 있다는 담론은 새로운 산업의 발굴을 통한 이윤 창출과 경제 성장이라는 목표 아래서 날로 힘을 얻었다. 예컨대 사회주의를 표방하는 중국은 정부 수립[1949년] 이래 줄곧 공산당의 이데올로기를 선전하는 도구로서 '문화사업'[文化事業2]이라는 탑-다운[Top-down] 방식의 문화를 만들어왔지만, 개혁개방[1978년]이 시작된 이후에는 '문화상품'이나 '문화시장' 등의 용어를 받아들였고, 급기야는 '문화산업'을 진흥하겠다는 「문화산업진흥계획」[文化産業振興規劃:2009]을 발표하기도 했다. 사회주의 중국조차 이런 선택을 했으니, '문화산업'의 위력이 얼마나 강력해졌는지는 두말할 나위 없게 되었다. 그러나 이런 담론은 문화를 언제든 도구화해도 괜찮다는 관점을 만들어 냈으며, 경제와 산업에 종속되는 현상으로 간주하는 관습적 사고를 형성하고 말았다.

'문화콘텐츠'는 과연 문화산업으로 환원돼도 무방한가? 한국외대 대학원 문화콘텐츠학과에서 학생을 가르치기 시작하면서 처음으로 제기한 물음이었다. 교육과 연구는 늘 상호작용한다. 여러 해에 걸친 토론을 거듭하면서 나는 문화콘텐츠의 개념을 새롭게 정의하고 학문적 체계를 세워야 한다는 과제를 스스로 설정하게 되

---

2 중국어의 '사업'[事業]은 우리말과 한자는 같지만, 뜻이 다르다. 중국어의 '사업'은 특정한 경영 행위를 통한 이윤 창출 행위가 아니라, 공산당이나 정부가 기획하여 상의하달 방식으로 민간에 전달하는 일련의 공적인 정책 집행 행위를 일컫는다.

었다. 이 책은 그 작은 결과일 뿐이다.

제1장 '용어와 개념'[3]은 문화콘텐츠라는 용어의 등장과 그 개념의 형성을 다룬다. '문화콘텐츠'가 형성 중인ongoing 개념이라는 점을 확인하고, 나아가 그것이 문화와 콘텐츠로 분리 가능한 용어가 아니라 단일한 개념으로서 "인간 삶의 질적 가치의 제고를 위하여 문화적 전통과 현상을 특정한 매개체를 통하여 현대화/동시대화하는 일련의 행위"라고 정의한다.

제2장 '학문적 위상'은 문화콘텐츠연구가 하늘에서 뚝 떨어진 새로운 학문이 아니라 근대 이후 학문의 흐름 속에서 다양한 자양분을 섭취해 오면서 구성되고 있다는 점을 주장한다. 특히 '문화'에 대한 분과학문적 접근으로서 문화인류학과 사회학, '문화'에 대한 상호학문적 접근으로 지역연구와 문화연구의 전통을 계승하고 나아가 이를 극복하면서 새로운 대안으로서의 '문화'를 내보일 수 있어야 한다고 주장한다.

제3장 '분류: 비판과 대안'은 복잡하기 그지없는 문화콘텐츠의 다양한 영역을 새롭게 분류하려는 시도다. 분류 행위 자체에 대한 지금까지의 고체적 접근을 문제 삼고 액체적 접근을 통해 새로운 분류가 가능할 수 있을지를 묻는다. 이를 위해 체계와 맥락, 범주와 군집이라는 '분류' 행위와 연관된 개념과 용어를 검토한 뒤 '체계에 대한 강박'을 버리고 맥락적 분류를 추구하기 위해 몇 가지

---

3 제1판의 표현을 그대로 따랐다. 개정증보판의 제목은 '문화콘텐츠'를 강조하기 위해 「차례」와 같이 바꿨다.

분류 방식을 제안한다.

제4장 '비평: 운동의 가능성'은 문화콘텐츠의 순환 구조 속에서 가장 중요한 행위가 비평 행위임을 역설한다. 이를 위해 '콘텐츠' 개념 출현의 필연성을 돌아보고, 문화콘텐츠 비평이 왜 필요한가를 설명한다. 나아가 이러한 비평 행위가 '콘텐츠 액티비즘'으로서 역동적인 기능을 창조해 낼 수 있으리라고 주장한다. 문화콘텐츠는 늘 '기획'을 중요한 가치로 말하지만, 결국 "비평 없는 기획은 없다"는 점을 분명히 인식할 필요가 있다.

제5장 '보론: 문화·환경·기술'4은 사실 가장 먼저 쓴 부분이다. 21세기를 이끌어 갈 핵심어는 무엇인가 하는 의문을 가지고 시작한 이 글은 문화, 환경, 기술이 상호작용하는 과정에서 절합된 의미작용을 만들어 내리라고 본다. 이런 상호작용이 서로 대립하는 개념 사이의 의미를 구성하면서 현실의 사례에서 '문제 해결 거리'를 적용해 볼 수 있지 않을까 하는 시론 성격의 글이다. 이런 사고의 유형과 방식이 세계와 문화를 보는 하나의 사례가 될 수 있지 않을까 하는 생각, 더불어 그것이 이 책 전체를 관통하는 문제의식을 담고 있다는 생각에 보론으로 함께 묶었다.

책 제목을 '문화콘텐츠학'이라 하지 않고 굳이 '문화콘텐츠연구'5라고 한 까닭은, 본문에서도 밝혔지만 역시 문화콘텐츠에 대한 학문적 접근이 다양한 분과학문을 넘어서서 상호학문적으로 수행

---

4 개정증보판에서는 제7장으로 배치했다.
5 개정증보판에서는 '문화콘텐츠론'으로 바꾸었다.

되어야 한다는 믿음 때문이다. '학'이라는 표현이 특정한 분과학문을 지칭하기에 특정한 연구 대상과 연구 방법론을 고정하려는 경향을 강하게 가지고 있다면, '연구'라는 표현은 연구 대상과 연구 방법론의 자유로운 설정을 보장하는 경향이 있다. 이 때문에 일부 학자는 '연구'가 '학'보다 낮은 층위에서 수행되는 학문 행위라고 간주하기도 하지만, 오늘날 근대 분과학문의 폐해가 속출하는 시점에 다양한 학문 간 교차와 융합이 현실화하고 있는 상황에서 그런 견해에는 동의할 수 없다. '연구'는 오히려 세계를 인위적으로 분할하려고 했던 과거의 오류를 극복하려는 진보적 시도라고 할 수 있다.

문화콘텐츠를 이론화하려는 학문적 작업은 계속되어야 한다. 문화가 변화하는 속도만큼이나 학문이 변화하는 속도도 매우 빠르기 때문에 지금 제시하는 의견 또한 어쩌면 머지않아 수정될 필요가 있을지도 모른다. 문화콘텐츠를 둘러싼 여러 가지 범주 가운데 여전히 다루지 못한 부분도 있다. 기획과 비평의 관계, 수용 또는 향유의 문제, 산업과 비산업의 관계 등도 계속 보완해 나가야 할 주제가 될 것이다. 문화콘텐츠의 이론적·학문적 작업에 관심 있는 연구자들의 질정을 바란다.

2021년 1월
임대근

제1장

문화콘텐츠라는 용어와 개념

■■■

　문화콘텐츠에 관한 학문적 논의는 21세기에 시작되었다. 문화콘텐츠는 여전히 '형성 중'인 개념으로 남아 있다. 문화콘텐츠는 정책 지원과 산업의 필요에 따라 나타난 현상이지만, 여기에 기댄 담론만으로는 그 가치를 온전히 구현할 수 없다. 문화콘텐츠의 인문적 대항 담론의 필요성을 논의하려는 까닭이다. 이를 위해 한국문화콘텐츠진흥원 출범과 인문콘텐츠학회의 설립 당시 상황을 살핌으로써 논의의 출발점을 삼는다. 문화콘텐츠라는 개념의 틀을 바꾸어 보려는 시도도 필요하다. 이를 위해 '문화콘텐츠'라는 용어를 분리 가능하지 않은 단일 개념으로 간주할 필요가 있다는 조작적 정의를 제안한다. 단일 개념인 '문화콘텐츠'는 때로는 '콘텐츠로서의 문화'culture as contents로, 때로는 '콘텐츠화된/만족된 문화'contented culture 등으로 인식할 수 있다. 이처럼 '문화'를 강조하는 '문화콘텐츠'는 인간 중심적이어야 하고, 심미적이어야 하고, 대중적이어야 하고, 전통과 현대를 잘 아울러야 한다. 분리 불가능한 단일 개념으로서의 '문화콘텐츠'란 "인간 삶의 질적 가치의 제고를 위하여 특정한 매개체를 통하여 문화적 전통과 현상을 현대화/동시대화하는 일련의 행위"이다.

새로운 용어 혹은 개념의 등장은 기존의 용어 혹은 개념이 폐기되어야 할 필요가 있을 때, 그것이 다소 진부해져 버린 탓에 세계와 현상을 설명하는 낯선 창의적 관점으로 우리를 인도하지 못할 때 이뤄진다. 그렇지 않으면 새로운 현상 자체가 출현하여 기존의 용어나 개념으로 이를 설명하기 어려워진 때 이뤄진다. 전자는 설명하려는 대상은 같지만, 새로운 용어로 이를 대체하므로, 사실상 용어의 전환이지 개념의 전환이라고 할 수 없다. 후자는 새로운 현상 자체가 나타난 상황이어서 새로운 용어와 개념이 필요한 경우다.

　물론 기존 개념을 계승한 새로운 용어는 다시 스스로 개념화를 꾀하면서 진화한다. 또 새로운 현상이 나타난 경우라도 전연 새로운 용어만으로 이를 정의할 수는 없다. 기존 용어에 새로운 의미를 부여하는 재해석 과정을 거치거나, 기존 용어들의 결합을 통한 재의미화 과정을 거치게 된다.

그렇다면 '문화콘텐츠'라는 새로운 용어 혹은 개념은 어느 경우일까? 다시 말하면, 이런 물음은 문화콘텐츠가 지시하는 대상이 이전부터 존재해 왔지만, 모종의 변화에 따라 새로운 명명이 필요한 상황인지, 그렇지 않으면 지시 대상 자체가 새로운 발현인지를 따져보아야 할 필요를 제기한다.

이런 물음은 문화콘텐츠의 성격을 규정할 때 매우 중요한 의미가 있다. 예컨대 "문화콘텐츠는 곧 디지털콘텐츠"라고 선언하면, 이는 새로운 현상의 발현에 따른 명명의 방식을 취하는 셈이다. 만일 "문화콘텐츠는 아날로그콘텐츠를 포함한다"고 말하면 앞의 입장과는 갈라선다. 여기에 더해 문화콘텐츠가 새로운 용어이긴 하지만, 기존 용어들의 결합을 통한 재의미화 과정을 거쳤다고 보면 논의는 더욱 복잡해진다.

이런 문제 제기를 출발점으로 삼아, 문화콘텐츠라는 용어와 개념을 재론再論함으로써 그 학문적 범주와 위상을 다시 살펴봐야 할 필요가 있다.

1 경합하는 가치들

주지하다시피 문화콘텐츠에 관한 국내의 학문적 관심과 논의는 21세기 이후 본격 시작됐다. 표상적으로는 인문콘텐츠학회의 창립이라는 사건을 꼽을 수 있다. 인문콘텐츠학회는 2002년 초반부터 이른바 "정체성 확립을 위한" 10여 차례에 걸친 논의를 통해 학회를 발족했다. 이 과정에서 학회 명칭을 확정하고,[2002년 5월] 이를 위해 발기문을 작성하거나 워크숍[2002년 2월] 등을 통해 "디지털 문화콘텐츠산업에서 인문학[자]의 역할"[강진갑]과 같은 논의를 이끌었다. 흥미롭게도 같은 워크숍에서 김기덕은 학회의 가칭을 '한국전통문화콘텐츠연구회'라고 설정했다.[1] 이는 물론 역사학자인 연구자의 주체 위치 때문이라고 추정할 수 있지만, 오늘날 우리의 문화콘텐츠에 관한 논의의 '기원'이 어디에서 비롯했는지 알려준다는 점에서 눈여겨볼 필요가 있다.

인문콘텐츠학회 창립대회[2002년 10월]에서 이뤄진 논의, 즉 "왜 인문콘텐츠인가?"를 주제로 진행된 학문적 논의는 더욱 진일보한 추론을 제공한다. 이날 논의는 크게 6인의 발제로 이뤄졌다. 그중 김기덕의 「콘텐츠의 개념과 인문콘텐츠」, 박경하의 「인문콘텐츠와 인문정책의 방향」, 이남희의 「인문학과 지식정보화」 등은 인문학에서의 문화콘텐츠에 관한 다소 근본적인 물음을 제기했다. 김호의 「검안이 보여주는 범죄 현장들, 그 생생한 역사의 이야기」, 강진갑의 「인문콘텐츠 제작 사례: 경기도 문화유산 가상현실시스템 구축 사업을 중심으로」, 강응천의 「출판콘텐츠 개발과 인문학자의 역할」 등은 문화콘텐츠의 개별 사안을 중심으로 논의를 수행했다.

이들은 문화콘텐츠에 관한 학문적 제도화의 기원으로서 몇 가지 흥미로운 관찰의 지점을 제공한다.

---

1 인문콘텐츠학회의 성립 과정에 관하여는 학회 홈페이지의 '연혁'을 참고. https://www.humancontent.or.kr

첫째, 이들은 모두 '문화콘텐츠'보다는 '인문콘텐츠'라는 용어를 선호한다. 인문학과 문화콘텐츠의 결합을 강조하기 위한 까닭이다. 실제로 학회가 이후 발행한 전문학술지 『인문콘텐츠』의 창간사는 '인문학의 힘'을 화두로 그것이 전통과 반전통의 유연한 변증적 결합과 이를 통해 "인간의 삶을 총체적으로 보는" 관점을 강조한다.[2] 학회의 「창립발기문」을 보면 왜 이처럼 '인문학'을 강조하려 하는지 그 취지의 일단을 엿볼 수 있다. 인문학의 위기에 대한 진단에서 시작하는 발기문은 인문학과 문화콘텐츠의 결합에 관한 설명을 이어간다.

> 지난 시기 항상 모든 형식에 실질적인 내용을 채워주는 주된 분야가 인문학이었듯이, 정보혁명 시대에 핵심적 기반이 되는 디지털 기술과 관련된 제반 형식에 올바른 내용물을 채워주는 것 역시 인문학이 중심이 될 수밖에 없다.[3]

이런 설명은 당시 문화콘텐츠에 관한 인식을 잘 보여준다. 즉 문화콘텐츠란 기본적으로 '디지털콘텐츠'로 정의할 수 있으며, 그 내용물이 인문학적 정보와 가치를 지녀야 한다는 점을 역설한다. 문화콘텐츠와 디지털콘텐츠를 동일시하는 입장은 김기덕의 주장을 통해서도 확인할 수 있다. 그는 이렇게 말한다.

2　김교빈, 「창간사」, 『인문콘텐츠』 창간호, 2003, 1~2쪽.

3　「창립발기문」, 『인문콘텐츠』 창간호, 2003, 297쪽.

새로운 형식은 그에 걸맞은 새로운 내용을 요청한다. 그 결과 지금의 디지털 기술에 기반한 새로운 형식이 요청하는 새로운 내용을 '콘텐츠'라는 용어로 표현하게 되었다.[4]

나아가 그는 '콘텐츠'라는 말을 곧 '디지털 내용물'이라고 부기한다. 하지만 여기서 '콘텐츠'가 '문화콘텐츠'와 어떻게 다른지 명확한 설명을 찾기 어렵다. 오히려 두 개념을 거의 같다고 간주하고 있는 듯하다.[5]

인문학의 가치를 통해 문화콘텐츠의 '내용'을 채우려는 데 대해서는 이견이 있을 수 없다. 다만 문화콘텐츠를 곧 디지털콘텐츠로 간주하는 데 대해서는 진일보한 논의가 필요하다. 문화콘텐츠가 단지 '디지털 내용물'일 수만은 없기 때문이다. 문화콘텐츠는 내용과 형식을 아우르는 완전체라는 점이 그 하나다. 또 문화콘텐츠는 많은 경우 '아날로그콘텐츠'를 포함하고, 아날로그콘텐츠와 디지털콘텐츠의 결합을 가리키기도 한다.

이런 주장, 즉 콘텐츠를 독립 개념으로 설정하고 앞머리에 이를 수식하는 다른 개념을 상정할 때, '디지털'과 '문화'를 동등한 심

---

4 김기덕, 「콘텐츠의 개념과 인문콘텐츠」, 『인문콘텐츠』 창간호, 2003, 8쪽.

5 이는 다음과 같은 언급을 통해 확인할 수 있다. "지금까지는 흔히 콘텐츠의 앞에 '디지털'이 붙어 '디지털콘텐츠'라고 하던가 '문화'가 붙어 '문화콘텐츠'라는 용어를 써 왔다. […] 우리나라에서는 디지털 내용물을 흔히 '문화콘텐츠'라고 불러왔다." 김기덕, 위의 글, 21쪽.

급으로 보는 주장은 어쩌면 '인문'이라는 포괄적 개념을 수식어로 덧붙이기 위한 의도에서 비롯됐을 수도 있다. 그러나 궁극적으로 살펴보면 '인문'은 곧 '문화'와 다르지 않다.

둘째, 창립대회의 논의는 정책, 제작, 정보 등의 내용을 두루 아우른다. 문화콘텐츠 담론을 구성하는 필수 불가결한 여러 영역이 포진되었다. 문화콘텐츠는 산업의 측면에서 기획과 제작, 유통과 소비라는 문제를 다뤄야 한다. 정책의 측면에서 기획, 집행, 환류의 역할을 담당한다. 그 세부 내용을 제공하는 과정에서 드러나는 다양한 정보화의 문제도 중요한 부분으로 포함한다. 이런 인식은 문화콘텐츠가 구성하는 거대한 순환 구조의 일단을 보여준다는 점에서 유의할 만하다.

셋째, 창립대회의 논의는 영상, 출판 등의 장르를 제시한다. 이는 "최근 디지털 기술이 출현하기 이전까지 내용과 형식을 결합시켜주는 가장 커다란 매개체는 출판과 영상"이라고 말하는 김기덕의 인식과도 맥락을 같이한다.6 영상과 출판을 문화콘텐츠의 주요 장르로 제시했다는 점은 의미가 크다. 이런 인식은 문화콘텐츠의 초기 논의에서 이미 출판콘텐츠를 한 장르로 포용함으로써, 이후에도 그것이 중요한 장르콘텐츠로 자리 잡을 수 있도록 하는 출발점이 되었다.

물론 이런 학문적 논의는 정부가 주도하는 정책 환경의 변화에서 촉발됐다. 특히 2001년 한국문화콘텐츠진흥원의 설립은 우리

---

6 김기덕, 위의 글, 7~8쪽.

사회에 문화콘텐츠에 관한 직접적이고 강력한 논의와 담론의 형성을 요구했다. 한국문화콘텐츠진흥원은 2001년 문화관광부가 선정한 8대 중점 과제 중 하나인 '문화콘텐츠산업육성'의 구체적 실현을 위하여 설립됐다. 당시 보도 기사는 한국문화콘텐츠진흥원의 주요 역점 사업으로 (1) 문화콘텐츠 전략산업에 대한 창업 지원, 정보 공유, 기술 지원, 해외 수출 등 산업 기반을 강화하는 종합 지원 체제 구축 (2) 우리 문화의 전통과 독창성에 기초한 고품질의 콘텐츠 개발 지원 (3) 문화콘텐츠 산업 응용 기술 개발 및 관련 산업 육성 진흥 (4) 문화콘텐츠 기획 개발 유통 분야의 전문 인력 양성[7] 등을 꼽았다.

이렇게 보면 문화콘텐츠에 관한 초기 논의의 초점은 매우 분명하게 — '문화콘텐츠산업'이라는 용어가 빈번히 사용되고 있는 점에 비추어 보더라도 — 문화산업의 가치 구현에 맞춰져 있었다.[8]

물론 우리가 지금에 와서 아도르노와 호르크하이머가 제기한 '문화산업' 개념으로 이를 전면 거부할 필요는 없다. 그럼에도 이들이 제기한 어떤 가치에 대한 문제, 즉 문화산업을 "대중 기만으로서의 계몽"이라 규정하고 이는 곧 "투자된 자본의 승리"이며,

---

7 이광표, 「문화콘텐츠진흥원 출범」, 『동아일보』, 2001.8.23., 15면.

8 실제로 출범식에서 서병문 초대 한국문화콘텐츠원장은 "철저한 기업 마인드로 성장 가능한 콘텐츠 관련 기업을 조기 발굴, 집중 육성해 국제 경쟁력 있는 고품질의 문화콘텐츠를 공급할 수 있는 기반을 조성해 관련 업계에 실질적인 도움을 주겠다"고 말했다. 황국성, 「한국문화콘텐츠진흥원 개원」, 『매일경제』, 2001.8.24., 1면.

"획일적 생산물을 제공"함으로써 "하자 없는 규격품을 만들 듯이 인간을 재생산하려 든다"[9]는 비판에는 여전히 귀 기울여야 한다.

따라서 문화콘텐츠의 인문적 가치는 산업적 가치에 대항하여 여전히 우위를 차지해야 한다. 이는 문화콘텐츠라는 용어와 개념의 등장이 비록 산업적 필요에서 시작되었다는 사실을 긍정하면서도 논의의 틀을 단지 그 안에 가둬 버리는 데 대한 대항으로서 인문적 가치를 고수해야 한다는 주장이다.

요컨대 우리에게 문화콘텐츠라는 개념은 시간의 선후를 따져보면, 정책 주도의 산업 담론으로 나타났지만, 그에 대한 학문적 논의는 인문 가치가 대항하는 방식으로 이루어졌다. 두 가치의 경합이야말로 우리가 앞으로 문화콘텐츠의 성격을 이해하고 그에 따른 실천을 수행해 나아가는 중요한 지향점을 제공한다.

2 '형성 중'인 개념

'문화콘텐츠'가 출현한 뒤 적지 않은 시간이 흘렀고, 다양한 경험도 차곡차곡 쌓여 왔다. 이런 상황에서 문화콘텐츠 개념을 재론해야만 하는 이유는 분명하다. 이 문제는 문화콘텐츠의 가치 우위를 어디에 두어야 하는지와 긴밀히 연관된다. 또 문화콘텐츠에 관

---

9 Theodor Adorno & Max Horkheimer, 김유동 옮김,『계몽의 변증법』, 문학과지성사, 2001, 183~251쪽.

한 학문적 논의가 필요하다는 사실을 강조하려는 측면도 있다. 문화콘텐츠는 물론 현장의 실천을 통해 생명력을 얻지만, 그런 실천의 기초로서 학문적 노력이 뒷받침되지 않으면 그 방향성과 지속성을 굳세게 이어가기 어렵다.

문화콘텐츠 개념이 등장한 이래 이뤄진 논의는 법률, 정책, 산업, 학문의 층위에서 찾을 수 있다.[10] 이런 논의를 다시 일일이 언급할 필요는 없지만, 그동안의 논의를 살펴보면 문화콘텐츠를 '문화'와 '콘텐츠'라는 복합 개념으로 인정하는 데에는 별다른 이견이 없다는 점은 지적하고 싶다.

문화콘텐츠는 분명히 '문화'와 '콘텐츠'의 합성어다. 이 당연한 사실에 대하여 질문을 던져보자. 문화콘텐츠를 분리 불가능한 단일 개념으로 간주할 가능성은 모두 봉쇄된 걸까? 다시 말해 문화콘텐츠는 단일한 개념인가, 그렇지 않으면 복합 개념인가 하는 물음을 제기할 수는 없는 걸까? 이런 물음은 무엇보다 문화콘텐츠에 대한 인식의 관습에 대한 문제 제기다. 동시에, 설령 후자를 인정한다고 해도 그것이 어떤 방식으로 결합했는지 더욱 정밀한 논의가 필요

---

10 이에 관해서는 다음 논의를 참조. 김기덕, 위의 글; 박상천, 「"문화콘텐츠" 개념 정립을 위한 시론」, 『한국언어문화』 제33집, 2007; 미디어문화교육연구회, 『문화콘텐츠학의 탄생』, 다할미디어, 2005; 최연구, 『문화콘텐츠란 무엇인가』, 살림, 2006; 박장순, 『문화콘텐츠학 개론』, 커뮤니케이션북스, 2006; 신광철, 『문화콘텐츠학 입문』, 한신대출판부, 2009; 송원찬 외, 『문화콘텐츠, 그 경쾌한 상상력』, 북코리아, 2011; 박범준, 『소통의 문화콘텐츠학 학문적 체계 연구』, 한국외대 박사학위논문, 2014 등.

하다는 점을 강조하기 위함이다.

다시 말해, '문화콘텐츠'를 분절한다면, 이는 단지 '문화'와 '콘텐츠'로만 나뉘는 걸까? 실상 이들을 '분자'의 층위까지 분절해 들어간다면 최소한 다음과 같은 다섯 요소로 나눌 수 있다.

$$문화콘텐츠 = 문^{文} + 화^{化} + con + tent + s$$

이런 작업은 문화콘텐츠라는 개념을 정의하기 위한 어원학의 노정으로 우리를 이끈다. 즉 문화콘텐츠 개념의 근저에 이런 다섯 분자가 있다면, 결국 각각의 분자에 관한 어원을 탐구해 볼 필요가 있다.

그런 방식으로 문화콘텐츠 각 분자의 의미를 밝혀보자. 우선 한자의 어원을 알 수 있는 한漢 왕조 허신許愼이 편찬한 『설문해자』說文解字를 살펴보자. 『설문해자』는 고대 한자의 기원에 관한 저작이다. 이를 통해 '문'과 '화'의 의미를 추론해 볼 수 있다.[11] 물론 '문화'라는 말은 메이지明治 시기 일본의 난학자蘭學者들에 의해 'civilization' 또는 'culture'의 근대 번역어로 만들어진 것은 사실이다.[12] 그러나 이런 번역이 이뤄지기까지 많은 경합이 있었다는

---

[11] 물론 이러한 논의가 주지하는 바와 같이 '문화'라는 근대적 번역어가 일본 메이지 시기에 직접적 기원을 둔 산물임을 부인하려는 것은 아니다. 메이지 시기 근대 번역어의 성립 과정에 대한 실례로는 다음을 참조. 柳父章, 서혜영 옮김, 『번역어 성립 사정』, 일빛, 2003.

[12] 이한섭, 『일본에서 온 우리말 사전』, 고려대 출판문화원, 2014, 325

점을 고려하면, 한자의 기원과 일맥상통하는 의미를 공유할 수 있다고 유추된다.

이런 전제에 따라 『설문해자』가 풀이하는 '문'과 '화'의 개념을 살펴보면 흥미롭다. 즉 '문'은 "엇갈린 그림"으로 "엇갈린 무늬를 본떠 그린" 글자다. 즉 '문'은 상형자^{象形字}로서 '무늬'라는 뜻이다. 이는 '문화' 개념이 심미성을 확보해야 한다는 근본적 함의를 나타낸다. '화'는 "가르쳐 행하게 한다"는 뜻의 회의자^{會意字}로 '교화'라는 뜻이다.[13]

이런 풀이는 '문화'^{culture}의 서양어 어원, 즉 라틴어의 'cultura'가 내포하는 '경작' '재배' '숭배' 등의 함의와 일맥상통한다. 즉 어원으로 볼 때, '문화'란 "무언가를 아름답게 바꾸는 인간의 행위"다.

'콘텐츠'^{contents}는 다시 세 가지 의미의 분자로 분절된다. 각각의 함의 또한 시사하는 바가 적지 않다. 'con'은 '함께'^{com}라는 뜻이다. 'tent'는 "무언가를 담는"^{tain→tent} 행위와 연관된다. 이 둘의 결합으로 말미암아 'content'는 모종의 "함께 담겨 있는" 대상을 가리키게 된다. 또한 '콘텐츠'를 복수형으로 사용하는 까닭은 그것이 '복합적인 물성'^{-s}을 가지고 있어야 한다는 뜻이다. 더 유의할 점은 영어에서 'content'에는 '만족하다'라는 의미도 있다.[14] 따라서 '콘

쪽.

13　"文, 錯畫也. 象交文."; "化, 敎行也. 从匕人." 許愼, 段玉裁注, 『說文解字注』, 台北:天工書局, 1992.(영인본), 425·384쪽.

14　이상 영어에서의 정의와 용례 등에 대해서는 다음의 해당 항목을 참

텐츠'는 '만족감'을 수반해야 한다는 점도 주목해야 한다.

그러나 이런 분절 방식과 어원을 탐구하는 시도는 '문화콘텐츠'가 여전히 정의 불가능한 모종의 생소한 개념이라는 사실을 반증하기도 한다. 즉각적인 의사소통이 가능하다면, 개념을 재정의하거나 재해석하려는 시도는 불필요하기 때문이다. 생소하다는 말은 바꿔 말하면, 문화콘텐츠 개념이 여전히 '형성 중'이라는 사실을 의미한다.

'형성 중'인 개념인 문화콘텐츠는 무한한 가능성과 불안정성이라는 양가적 가치로 다가온다. 문화콘텐츠 개념이 만일 안정 구조를 갖게 되면, 더 이상 우리의 삶과 학문에 중요한 쟁점^{issue}이 될 수 없다. 오늘날 문화콘텐츠라는 호명은 그것이 우리 삶에 다양한 쟁점을 가져올 수 있는 불안정성과 그로부터 연유하는 가능성을 함께 가지고 있기 때문이다.

다시 돌아가서 '문화콘텐츠'를 분자의 층위보다 조금 더 상위에서 분절한다면, 예의 '문화'와 '콘텐츠'의 결합이 된다. 이는 새로운 질문을 불러낸다. 이런 복합 개념으로서 문화콘텐츠는 어떤 성격의 복합성을 갖는가? 문화콘텐츠가 두 개념이 결합한 합성어라는 사실을 인정한다면, 합성의 성격은 어떠한가? 문화와 콘텐츠는 병렬 구조의 합성인가, 수식 구조의 합성인가? 다시 말하면 문화콘텐츠는 '문화와 콘텐츠'로 해석되는가, '문화적 콘텐츠'로 해석되

조. J.A. Simpson & E.S.C. Weiner, *The Oxford English Dictionary*, Oxford University Press, 1989.

는가?

이는 우리말 '문화콘텐츠'를 영어로 표기하는 방법과도 이어진다. '문화콘텐츠'를 영어로 표기하면 'culture and contents'인가, 'cultural contents'인가?

만일 후자를 지지한다면, 즉 문화콘텐츠는 수식 구조의 합성 개념이라고 본다면, 이는 곧 '콘텐츠'가 중심 위치에 놓여야 하며, 문화는 이를 보조하는 역할을 담당한다는 사실을 인정하는 셈이다. 그렇다면 '콘텐츠'는 '문화' 등의 수식을 받지 않아도 언제나 독립적으로 사용될 수 있는 개념이 된다. 동시에 '문화'와 같은 층위에 있는 다른 개념에 의해 수식받을 가능성이 열린다. 한때 '문화콘텐츠'와 '디지털콘텐츠'가 마치 대립 개념인 듯 현장에서 사용되던 상황[15]은 좋은 사례다. 그렇다면 '콘텐츠'는 독립 개념의 지위를 부여받게 되고, 자신이 스스로 개념을 창출해야 하는 위기에 직면한다.

전자의 경우, 즉 문화콘텐츠가 '문화와 콘텐츠'임을 지지한다고 해도 이런 상황은 크게 나아지지 않는다. '콘텐츠'는 역시 독립적으로 무언가 의미를 담고 있는 개념이 될 테고, '문화'는 그에 병렬하는 구조로서만 의미를 갖게 되기 때문이다. 따라서 두 가지 경우 모두, 즉 문화콘텐츠를 분절하려는 시도 자체는 논리적 함정에 빠지게 된다. 이런 상황에서 최근에는 '콘텐츠'라는 독립 개념도

---

15 이는 콘텐츠에 대한 정책을 문화관광부와 정보통신부가 각각 수립하고 집행하던 상황에서 벌어진 일이라는 주장도 있다.

상용화하는 중이지만,16 여전히 그 개념의 성립 여부는 논쟁 중이다.

'문화콘텐츠'의 영어 표기를 살펴봤으나, 이런 표현은 사실 영어 원어민에게 익숙하지는 않다. 'contents'라는 말은 영어권에서는 어떤 '내용물' 정도를 뜻하기 때문에, 'culture and contents' 또는 'cultural contents'가 무엇을 의미하는지 즉각 받아들여지기 어렵다. 그러므로 개념의 모호성은 이 용어를 주도적으로 활용하는 국내는 물론 영어권에서 유사하게 나타난다.

일본에서는 '콘텐츠'라는 말을 그나마 자주 사용한다. 일본어로는 'コンテンツ' 또는 'デジタルコンテンツ'와 같은 표현을 주로 쓴다.17 중국에서는 초기에 이를 그대로 직역하여 받아들여 '文化內容' '文化內函'과 같은 표현을 주로 썼다. 최근에는 그 개념의 부적절성을 인식하고 'cultural creative industry'라는 영어 표현을 번역하여 '文化創意産業'을 통용하고 있다.

대만에서는 '文化內容'이라는 표현을 상용한다. 대만 문화부는 지난 2019년 문화콘텐츠산업을 지원하기 위해 한국콘텐츠진흥원을

---

16 예컨대 한국콘텐츠진흥원은 2009년 한국문화콘텐츠진흥원, 한국방송 영상산업진흥원, 한국게임산업진흥원이 통폐합되면서 설립되었고, 이후 다양한 용례에서 확인할 수 있듯이 '문화콘텐츠'라는 개념보다는 '콘텐츠'라는 개념을 주도적으로 사용하고 있다. 한국콘텐츠진흥원의 '연혁' 참고 https://www.kocca.kr

17 '콘텐츠'의 해외 용례에 대해서는 다수의 자료를 참조. 특히 한중일의 용례에 대해서는 다음을 참조. 조소연, 『한·중·일 문화콘텐츠 인력양 성정책 및 지원프로그램 비교 연구』, 한국외대 박사학위논문, 2012.

참고하여 '문화내용책진원'文化內容策進院/TAICCA이라는 정책 기구를 설립했다. 한국에서 '문화콘텐츠'라는 용어가 관습화되면서 정착했듯이, 대만에서도 '文化內容'이라는 용어가 '문화콘텐츠'를 지칭하는 관습으로 굳어졌기 때문이다.

중화권에서의 '문화창의산업'은 '문화산업'과 '창의산업'의 합성어로 여겨지면서 "경제 영역으로부터 자율적이었던 사회적 기호 체계를 자본 생산의 체계 속으로 끌어들여 국가 재부財富의 축적"으로 여겨진다. 그 결과, 문화창의산업은 "국가기구의 동원 아래 오늘날 이미 사회 주도적 이데올로기가 되었다"[18]고 판단한다. 문화콘텐츠가 국가기구의 동원으로부터 비롯되었다는 예리한 지적은 의미심장하다. 그것은 우리가 알고 있는 바와 같이 이 개념이 유래한 맥락 속에서 영국의 '창조/창의산업'creative industry라는 용어가 어떻게 시작됐는지 살펴보면 더욱 분명해진다.

문화콘텐츠를 가리키는 세계 여러 용어의 다변화는 모두 영국에서 비롯된 '창조/창의산업' 개념에서 빚진 바 크다. 1998년 영국의 노동당 정부 문화미디어스포츠부Department for Culture, Media and Sport와 크리스 스미스Chris Smith장관에 의해 주도된 '창조/창의산업' 관련 논의가 있었다. 논의 결과, 『창조산업 지형도』Creative Industries Mapping Documents라는 보고서가 발표됐다. 이 보고서는 관련 산업의 급성장과 더불어 2001년 개정판이 다시 출판됐다. 보고서는 서론과 더불어 '창조산업'의 범주를 광고, 건축, 예술과 골동품, 공예,

---

18 李天鐸編著, 『文化創意産業讀本』, 遠流出版社, 2011, 19쪽.

디자인, 패션 디자인, 영화와 영상, 상호활동 레저 소프트웨어, 음악, 공연, 출판, 소프트웨어와 컴퓨터 서비스, 텔레비전과 라디오라는 13개 분야로 나눈다.[19]

보고서는 '창조/창의산업'을 "개인의 창의성, 기술, 재능에 기원을 두면서, 지적 재산의 전승과 활용을 통해 부와 일자리를 창출하는 잠재력을 가진 산업"이라고 정의한다.[20]

이를 통해서 우리는 문화콘텐츠 개념이 산업의 가치에 가장 우선순위를 두고 이를 정책이 뒷받침해 왔다는 사실을 여실히 확인할 수 있다.

다시 문화콘텐츠 개념에 관한 문제로 돌아가 보자. '문화콘텐츠'를 '문화'와 '콘텐츠'라는 두 개념으로 분절할 수 있다고 가정하면, 둘 다 외래의 개념이라는 사실은 분명하다. '콘텐츠'는 영어에서 유래했고, '문화'는 근대 이후 'culture'의 번역어로 일본에서 제작, 수입됐다. 약 한 세기를 사이에 두고 들어온 두 용어가 결합하여 새로운 개념을 만들었다. 이런 상황은 무엇을 의미하는가? 이는 근대 이후 우리가 외래/서구의 현상을 받아들이면서 물성으로 직접 확인할 수 없었던 대상에 대한 인식과 명명의 부정합 현상이 있었다는 사실을 일깨워 준다. 즉 문화라는 말 또한 근대 이래 한 세기가 넘도록 우리가 직접 범주화하지 못한 어떤 대상에

---

19 Chris Smith, "Foreword," *Creative Industries Mapping Documents*, Department for Culture, Media and Sport, 2001, 5쪽.

20 Chris Smith, 위의 글, 5쪽.

대한 명명이다. 따라서 이 개념은 모호성과 추상성으로 인해 여전히 혼란스럽다. 물론 동양-서양의 구별로만 이 문제를 설명할 수는 없을 테고, 근대-전근대의 구별로도 설명이 가능할 텐데, 그렇다 해도 동양의 경우 두 가지 층위가 중첩되므로 더욱 복잡한 양상을 보인다. '콘텐츠'라는 말 또한 생소한 외래어로서 그것이 무엇을 지칭하는지 구체적 물성을 확보하고 있지 못한 상황이다. 그런 맥락에서 '콘텐츠'는 라디오나 버스 등의 외래어와는 성격이 다르다. 둘의 복합/합성어는 더더욱 규명하기 어려운 개념으로 다가올 수밖에 없다.

그러므로 다시 앞의 논의로 돌아가면, 우리는 '문화콘텐츠'를 반드시 분절하여 이해해야만 하는가에 대한 물음에 직면할 수밖에 없다. 이를 분절하게 되면 '문화와 콘텐츠' 혹은 '문화적 콘텐츠'라는 둘 중 하나의 선택을 요청받게 된다. 그렇다면 문화콘텐츠는 언제든 콘텐츠라는 상위 개념에 포괄되어도 무방한 종속 개념이 된다. 문화콘텐츠가 콘텐츠의 종속 개념이 되어서는 안 된다는 사고의 이면에는 물론 문화콘텐츠에서 콘텐츠보다 '문화'가 훨씬 중요하다는 전제가 뒷받침되어 있다. 한국어의 관습상 A와 B라는 두 개념이 이어진 합성어는 자주 B가 중심어/피수식어 역할을 하고 A의 경우 수식어 역할을 담당하기 때문에 앞서 말한 바와 같이 '문화콘텐츠'를 문화적인 콘텐츠로 해석할 수 있게 된다.

그러나 이를 오히려 분리 불가능한 하나의 개념으로 인식할 수도 있다. 그것은 일종의 조작적 정의^operational definition다. 이렇게 되면 문화콘텐츠는 때로 '콘텐츠로서의 문화'^culture as contents 혹은 때

로 '콘텐츠화된 문화'^{contented culture}21로 인식할 수 있다. '콘텐츠로
서의 문화'란 오히려 역설적으로 콘텐츠를 문화의 외현으로 간주
하고 문화야말로 그것을 채우는 '내용물'임을 주장하려는 개념이
다. 산업과 기술의 요소로 콘텐츠가 만들어진다 해도 내면의 '내용
물' 자체는 인간의 삶에서 발현되는 가장 인간다운 가치를 담고
있어야 한다.

'콘텐츠화된 문화' 역시 유사한 개념이지만, 한 걸음 더 나아가
인간에게 가장 큰 지적, 심미적, 오락적 만족감을 제공할 수 있는
문화의 외현으로서 콘텐츠를 의미한다. 이 두 개념은 모두 문화콘
텐츠 개념에서 '문화'를 강조한다. 이런 과정을 통해서 우리는 결
론적으로 문화콘텐츠 개념이 다음과 같은 가치와 속성을 내포해야
한다는 주장에 이르게 된다.

3 문화콘텐츠의 가치와 속성

다소 복잡한 논의를 통해 우리는 문화콘텐츠가 가져야 할 가치
와 속성을 다음과 같이 주장할 수 있다. 비록 그 가치와 속성에
대해 더욱 충분한 논의를 펼치지 못해 아쉬움이 없지 않지만, 이후

---

21 'contented culture'는 영어 문법으로는 비문이다. 예컨대 "나는 문화
    에 만족한다"는 표현은 "I am contented with culture"로 쓸 수 있
    을 것이다. 그러나 여기서는 'content'라는 영어 단어가 동사로서도
    활용될 수 있음에 주목하여 이런 표현을 일부러 사용한 것이다.

논의가 부족한 부분을 보충해 주리라 기대한다.

첫째, 문화콘텐츠는 인간 중심적이어야 한다. 두루 아는 바와 같이 문화는 인간에게 속한 현상이다. 인간의 삶을 더욱 가치 있게 만드는 일련의 행위로서 문화는 인간 중심의 가치를 지녀야 한다. 다시 말하면, 문화콘텐츠가 산업의 가치, 정책의 가치, 기술의 가치보다 인문의 가치를 우선순위에 두어야 한다는 의미다. 문화콘텐츠의 발전에 있어 산업, 정책, 기술은 모두 필수 불가결한 가치이지만 인간 중심의 가치를 뛰어넘는 지위로 설정돼서는 안 된다.

둘째, 문화콘텐츠는 심미적이어야 한다. 문화란 '더욱 아름다움'에 대한 인류의 추구다. 그것을 가장 고도로 표출하는 행위가 곧 예술이다. 문화콘텐츠는 미적 행위와 범주로서 자신을 규정할 때 인간의 심리적, 정서적 욕구를 만족하게 할 수 있다. 이는 문화콘텐츠가 단지 제도, 정책, 산업의 둘레에만 묶여서는 안 된다는 뜻이다. 문화콘텐츠는 인간의 마음을 움직일 수 있는 감성 콘텐츠이자 감동 콘텐츠여야 한다.

셋째, 문화콘텐츠는 대중적이어야 한다. 우리는 '더욱 아름다움'에 대한 추구가 때로는 엘리트 중심적으로 흐른 역사를 알고 있다. 문화란 단지 양적 층위의 대량^{mass}이 아닌, 질적 층위의 대중^{popular}을 내포하는 현상이어야 한다. 문화콘텐츠가 대중적이어야 한다는 말은 정치성과도 연결되는 논의이다. 이에 관해서는 더욱 자세한 논의가 필요하다. 대중화 과정에는 불가피하게 매개체의 개입이 이루어진다. 그러므로 문화콘텐츠가 대중의 가치를 지향하려면 매체 즉 미디어의 역할이 대단히 중요하다.

넷째, 문화콘텐츠는 전통과 현대를 아울러야 한다. 앞서 살펴본 대로 문화콘텐츠 자체를 디지털콘텐츠로 등치할 수는 없지만, 문화콘텐츠가 디지털 시대의 도래와 더불어 출현한 점은 사실이다. 또한 문화콘텐츠의 표층적 현상은 현대적일 수밖에 없다. 여기서 현대적이라는 말은 '동시대성'contemporaneousness을 충족해야 한다는 의미다. 그러나 이런 동시대성은 인류의 유구한 문화 전통을 계승하고, 그 바탕 위에서 새로움을 창조할 때 더욱 큰 의미가 있다. 물론 문화 전통을 계승해야 한다는 말이 곧 단절과 창조의 선언을 부인하지는 않는다. 모든 단절과 불연속은 불가피한 계승과 연속의 계기 위에서 이루어지기 때문이다.

그러므로 우리는 이제 분리 불가능한 단일 개념으로서의 '문화콘텐츠'란 "인간 삶의 질적 가치의 제고를 위하여 문화적 전통과 현상을 특정한 매개체를 통하여 현대화/동시대화하는 일련의 행위"라고 정의할 수 있다.

제2장

문화콘텐츠연구의 학문적 위상

■■■

    21세기 이후 출현한 새로운 경향으로서 문화콘텐츠연구의 학문적 위상은 문제적이다. 문화콘텐츠 현상은 문화에 대한 산업, 기술, 정책의 필요에 따라 등장했기 때문에 오랫동안 학문 체계를 구축하는 일을 중요하게 여기지 않았다. 개별 문화콘텐츠 현상에 관한 연구는 다수 축적돼 있으나, 학문적 위상을 체계적으로 구성하려는 노력은 상대적으로 미약했다. 근대 이후 학문의 맥락 속에서 문화콘텐츠연구는 역사적 단절 가운데 불현듯 출현한 입장이나 태도가 아니다. 그것은 근대 이후 학문이 실천적으로 축적해 왔던 다양한 성과를 계승하는 한편 그 한계를 극복하려는 시도로서 간주돼야 한다. 이에 따라 근대 이래 문화를 학문적으로 대상화했던 네 가지 사례를 살펴본다. 분과학문으로서는 문화인류학과 사회학, 상호학문적/학제적 연구로서는 지역연구와 문화연구가 그것이다. 이들은 각각 성과와 한계를 문화콘텐츠연구에 물려주었고, 문화콘텐츠연구는 이를 계승하거나 극복하는 과정에서 학문적 정체성을 구성한다. 그 결과로 이런 결론을 주장할 수 있다. 첫째, 문화콘텐츠연구는 기존 분과학문과는 다른 학문적 경향이다. 둘째, 오늘의 시점에서 문화콘텐츠연구는 현실적으로 상호학문적^{interdisciplinary} 연구지만, 이상적으로는 기존 분과학문들의 단순한 결합을 넘어서는 초학제적 ^{transdisciplinary} 연구를 지향해야 한다. 셋째, 문화콘텐츠연구는 그 자체가 하나의 단일하고 궁극적인 학문적 목적을 향해서 나아가지는 않는다. 그것은 세계의 다양한 현상들이 서로 교차, 삼투, 결합하면서 빚어내는 상상력 넘치는 새로운 경관들을 실천적으로 논의하는 과정이어야 한다. 무엇보다 문화콘텐츠연구에 있어서 중요한 점은 우리가 어떠한 '꿈'을 구현할 것인지에 관한 '가치'의 발견이다.

"문화콘텐츠란 무엇인가?"라는 물음을 더 연장해 보자. 그 연장 선은 조금 더 정확히 말하면 "문화콘텐츠연구란 무엇인가?"라는 물음으로 이어진다. 이 물음을 다시 세분하면 이렇게 풀이할 수 있다.

첫째, 문화콘텐츠에 관한 학문 행위를 '학', 즉 분과학문^{discipline}으로 볼 수 있는가 하는 물음이다. 이는 '분과학문으로서의 문화콘텐츠', 즉 '문화콘텐츠학'이라는 개념이 성립 가능한가 하는 물음이기도 하다. 만일 가능하다면, '분과학문으로서의 문화콘텐츠'와 기존 분과학문의 차이는 무엇인가? 그것은 문화를 분과학문의 대상으로 다뤄온 다른 경우, 예컨대 문화인류학과는 어떻게 다른가?

둘째, 또는 문화콘텐츠에 대한 학문적 행위는 '연구'로서 상호학문적 접근이 가능한가 하는 물음이다. 이는 '분과학문으로서의 문화콘텐츠'가 아닌 인접한 분과학문들 사이의 상호학문적 연구로서 '문화콘텐츠연구'라는 성격을 가질 수 있는가 하는 물음이기도 하다. 만일 그렇다면 문화를 연구 대상으로 삼아 상호학문적 관점과 방법으로 다뤄온 다른 학문적 경향, 예컨대 '문화연구'cultural studies 와는 어떻게 같고 다른가?

셋째, 그 또한 아니라면, 문화콘텐츠에 대한 학문적 행위는 제3의 다른 경우로 볼 수 있는가? 분과학문도 아니고, 상호학문적 연구도 아니라면, 그것은 분과학문들의 체계를 통합하는 상위 학문인가? 그렇다면 '문화콘텐츠연구'는 다양한 학문 분과를 형식적으로 통합하는 실체라 간주할 수 있는가? 또는 상호학문적interdisciplinary 연구로서 '문화콘텐츠연구'는 단지 그런 속성만이 아니라, 초학문적transdisciplinary 접근도 가능한가? 즉 다양한 장르가 플랫폼이 되고 다양한 학문적 경향들을 초월하는 방식, 혹은 경유하는 방식, 다시 말하면 문화콘텐츠라는 하나의 '브릿지'bridge 혹은 '플랫폼'platform 을 통해 이동하는 경로가 될 수 있는가?

어떤 경우라도, 우리가 만일 문화콘텐츠를 모종의 학문적 대상으로 간주할 수 있다면, 그것은 문화콘텐츠를 묶는 거대한 하나의 이론으로서 설명되든, 혹은 특정한 장르콘텐츠로 나뉘어 분과화하든, 혹은 연구의 출발은 특정한 장르콘텐츠에서 시작하지만, 그 지적·학문적 작업의 결과는 문화콘텐츠연구로 합쳐지는 통섭적 연구로 발현되든, 혹은 문화콘텐츠를 장르화하지 않고 이를 관통할 수 있는 지적 체계의 구축을 필요로 하든, 무언가 학문적 입장을 정리할 필요성은 상존한다. 그것은 이미 제도로서 대학 내부에 존재하는 '문화콘텐츠'라는 객관적 실체가 학자들을 향해 끊임없이 소구하고 있는 바이다.

이런 문제의식을 전제로 문화콘텐츠를 학문적 대상으로 삼는 행위가 근대 이후 학문의 흐름 속에서 단절적으로 불현듯 등장한 현상이 아니라, 특정한 학문의 경향성이 보여 온 지속적인 변화 양상의 과정에서 점차로 형성 중인 결과라고 간주할 수 있다. 나아가 이는 근대 이후 문화를 학문적 대상으로 삼아왔던 일련의 경향들의 변주variation이자 새로운 돌파breakthrough로 간주할 수 있다. 따라서 근대 이후 학문의 변화 속에서 문화를 학문적 대상으로 삼아왔던 경향을 살펴보면서 문화콘텐츠에 관한 학문적 행위의 위상을 어떻게 설정할 수 있을지, 문제를 제기해 보려고 한다.

1 근대와 학문의 변화

근대 이후 시작된 문화에 대한 학문적 접근은 여러 영역의 분과학문 또는 상호학문적 연구를 통해 수행되었다. 주지하는 바와 같이 분과학문의 발전은 산업혁명의 성공에 따라 '분업'이 효율적이라는 근대적 가치가 확산하여 학문 영역에까지 그 영향을 미친 결과다.[1]

만일 '학' 또는 '학문'을 "인간과 세계를 둘러싼 현상을 설명하

---

[1] 이하 "근대와 학문의 변화"에 관한 내용은 임대근, 「'곤혹'스러운 중국문화연구」, 『현대중국연구』 제11집 2호, 2009에서 초보적인 논의를 펼쳤다. 여기서는 이 글에서 시작된 문제의식을 확장한다.

고 분석하며 전망하는 일"이라고 다소 포괄적으로 정의한다면, 가장 근원적인 학문은 철학이라고 말할 수 있다. 인류는 이 근원적 학문으로부터 시대의 흐름과 필요에 따라 다양한 방식으로 변주되는 학문 체계를 구축해 왔다. 근대 이전의 학자들은 동양과 서양을 막론하고 세계에 대한 통합적 인식 체계를 바탕으로 학문을 수행했다.

동양의 지식 생산을 대표했던 중국의 사례만 보아도, 이른바 '문사철'文史哲은 단일한 체계 속에 통합돼 있었다. 고대 중국의 지식인은 곧 정치가이자 과학자였으며, 동시에 역사가이자 문학가였다. 유럽의 사례도 다르지 않다. 근대 이전 유럽의 학문 또한 다양한 사례를 통해 확인할 수 있는 바와 같이 철학, 수학, 의학 등이 통합된 형태였다. 고대 유럽, 지식 생산의 장 내부의 경관 역시 동양의 그것과 대동소이했다. 지식 생산 주체인 지식인의 역할은 단지 학문적 체계의 구축뿐 아니라 현실 정치와 예술 창작, 역사 서술로까지 이어졌다.

물론 이런 상황은 양가적 가치를 지닌다. 즉 근대 이후 학문의 '분화'가 더욱 진보한 가치라고 간주한다면, 근대 이전 상황은 학문의 '미분화' 상태로 평가될 것이다. 그러나 이는 동시에 오늘날 근대적 가치를 극복하면서 '통섭'을 말하고자 하는 시도에 있어서는 모종의 기원 같은 인식적, 실천적 방법으로 인식될 수도 있다.

근대 이래 학문은 격변의 상황을 맞이했다. 근대modern를 일종의 가치개념으로 간주한다면,[2] 그 시작은 철학적·예술적으로는 14~16세기 문예부흥운동,[3] 15~16세기 인본주의의 등장, 18세기 계몽주

의로의 연결, 지리적으로는 아시아와 유럽이라는 새로운 땅에 대한
― '대발견'이라는 매우 제국주의적인 표현의 대안으로서의 ―
'상호발견', 경제적으로는 18세기 산업혁명의 성공에 따른 자본주
의의 출현, 과학적으로는 20세기 이후 고도의 기술 발달을 언급해
야 한다. 산업혁명 이후 분업 체계 구축을 통해 새로운 문제 해결
방식을 창조한 인류는 '분류'의 효율성을 인식하면서, 세계 각 영
역으로 이를 확산하기 시작했다. 근대 이후 인간이 세계를 인식하
는 방식이 획기적으로 변화하면서 '분류'라는 새로운 사고 체계가
유행했다. 학문에도 이런 방식이 적용됐고, 대상의 분류를 통한 설
명은 시대의 큰 흐름이자 효율적인 선택으로 인식됐다.

예컨대 우리가 현재 매우 상식적으로 받아들이고 있는 바와 같
이, 칼 폰 린네Carl von Linne에 의한 '종속과목강문계'의 생물 분류
체계라든가 멜빌 듀이Melvil Dewey가 고안한 도서의 십진분류법과 같
은 사례들은 근대 학문의 표상이 되었다. 물론 이러한 현상이 전개
된 까닭은 근대와 더불어 세계가 더욱 확장된 까닭이기도 하다. 지
리의 확장에 따라, 특히 유럽인은 근대 이전까지 미지의 세계로 남
아 있던 아시아와 아프리카, 라틴아메리카 등을 '발견'하게 되면서

---

2 柳父章, 서혜영 옮김, 『번역어 성립 사정』, 일빛, 2003, 54~72쪽.

3 예술의 경우 14~16세기 문예부흥운동으로부터 근대를 논의한다. 철학
자 페트라르카는 중세를 '암흑기', 고대를 '문화의 절정기'라 부르면서
문예의 '부흥'을 논의함과 동시에 중세와의 단절을 선언했다. Sterling
Lamprecht, 김태길 외 옮김, 『서양철학사』, 을유문화사, 1992,
293~295쪽.

더불어 세계 자체의 현상적 면적이 넓어지고 복잡해진 상황에 직면하게 되었기 때문이다.

　이러한 상황을 효율적으로 해결하기 위해 학문의 분과를 수립하는 방향이 추동됐다. 통합돼 있던 학문을 철학, 문학, 역사학, 경제학, 물리학… 등으로 '분류'하여 접근할 때 세계가 더욱 잘 설명될 수 있다는 믿음은 근대 이후 보편적인 신념으로 자리 잡게 됐다. 서양에서 시작된 근대 개념의 번역어가 동양으로 유입되는 과정에서 이러한 신념은 더욱 강화하는 경향을 보였다.

　일본의 난학자들에 의해 'science'는 '과학'科學으로 번역되고, 'department'는 '학과'學科로 번역됐다. '과학'에서 '과'科란 "곡식을 말로 된다"는 뜻이고 이는 곧 '나누다', '분류하다'는 의미와 직결된다. 즉 '과학'이란 "학문의 분류"이며 그것은 곧 인문과학, 자연과학, 사회과학 등의 분화를 뜻한다. 근대 이후 설립된 대학의 구성단위를 가리키는 말로서 '학과' 역시 순서만 다를 뿐, '과학'과 동일한 한자어 조합을 갖는다. '학과'는 한국어와 일본어에서는 'department'의 번역어로 쓰이지만[4] 중국어에서는 'discipline'의

4　근대 이후 수많은 서양의 용어들이 일본 학자들의 한자어 번역을 통해 수입됐다. Chen Haijing은 일본어 번역을 통해 중국에 유입된 '차용어'loanword에 대한 연구에서 이러한 사례들을 일상생활 용어, 사회 용어, 전문 용어, 기타 등의 네 개 범주에서 최소한 882개를 제시한다. Chen Haijing, "A Study of Japanese Loanwords in Chinese," M.A. Thesis, University of Oslo, 2014. 이 밖에도 유사한 연구로는 다음을 참조. 王立達, 「現代漢語中從日語借來的語彙」, 『中國語文』 1958.2.; Xuexin Liu, "Chinese Lexical Borrowing From Japanese as an Outcome of Cross-Cultural Influence," *US-China Foreign*

번역어'學科'로 쓰이고 있는 점도 흥미롭다. 이런 상황은 근대 이후 학문이 드디어 오늘날과 같은 철학, 문학, 역사학, 경제학 등의 분과학문 체계로 들어섰으며, 그 분과학문 자체가 곧 대학의 학과로 자리 잡았음을 보여준다. 학문의 '분업화'는 더욱 확장되고 복잡해진 세계를 잘 인식하고 설명하기 위한 필요성에 대한 근대 지식인들의 믿음이 반영된 결과였다.

그렇다면 모종의 학문적 행위가 분과학문^{discipline/學科}이 되기 위해서는 어떤 조건을 갖추어야 하는가? 주지하다시피 분과학문은 분명한 연구 대상과 고유한 연구 방법론으로 학문적 정체성을 수립한다. 예컨대 역사학은 역사적 사실을 연구 대상으로 삼으면서 역사학적 방법론을 활용한다. 역사학적 방법론을 활용함에 있어 '사료'는 가장 중요하고 핵심적인 자료이며, 역사학적 해석이란 곧 사료의 분석을 통한 해석이어야만 한다. 그러나 이러한 방법론은 다른 분과학문에 있어서는 필수 불가결하지 않을 수도 있다. 즉 현상을 설명하는 과정에서 예컨대 철학자와 문학자, 역사학자와 경제학자에게 있어 저마다 맞닥뜨리는 현상이 설령 같다 하더라도 자신의 학문 내부에서 그럴듯한 설명에 도착하기 위해 원용하는 방법은 다를 수밖에 없다.

예컨대 누군가 두통을 호소한다고 하자. 인간의 두통이라는 현상 앞에서 문학자, 철학자, 경제학자, 정치학자, 유전학자, 정신분석학자 등은 저마다 서로 다른 설명을 수행할 것이다. 물론 그 설명

Language, Vol.10. No.9, 2012, 1492~1507쪽.

방식은 대체로 환경론과 주체론을 통해 구별될 수 있을 것이다. 그럼에도 각각의 분과학문, 이를 위해 종사하는 지식인들은 고유한 연구 방법론을 통해 자신에게 주어진 문제로서 현상을 해결하려는 지식을 생산하게 된다. 그렇게 생산된 지식은 각 분과학문 내에서 학문적 권위를 인정받아야만 한다.

인류는 이와 같은 분과학문의 지배 속에서 20세기를 살아왔다. 그러나 분과학문 체계에 대한 회의는 근대적 가치에 대한 의문으로부터 유발되고 있다. 근대와 근대 '이후'post-modern의 특징이 공존하는 세계를 살아가고 있는 오늘날 우리는 분과학문의 방식으로는 더 이상 통합적으로 존재하는 세계, 질적으로 복잡한 세계, 양적으로 방대한 세계를 제대로 설명하기 어렵다는 반성적 사유에 이르게 되었다. 따라서 학자들은 융합, 복합, 통섭 등과 같은 용어와 개념들로 경계를 초월하는 현상을 설명하고자 시도한다. 그도 그럴 것이 세계의 현상은 단일한 입장과 방법만으로는 설명되지 않는 경우로 점철되어 있기 때문이다. 그리하여 학문적으로도 분과학문 체계를 넘어서는, 상호학문적 연구라는 새로운 방식이 등장하게 된다.

근대 이후 이런 상호학문적 연구를 가장 실천적으로 훌륭히 수행해 온 성과 중 하나로 여성학women studies을 꼽을 수 있다. 여성의 문제를 대상으로 삼는 여성학의 경우 ─ 오늘날 그것이 충분한 학문적 성과를 축적하였음에도 불구하고 불분명한 미래에 직면해 있는 상황과는 별개로 ─ 분과학문과 마찬가지로 분명한 연구 대상여성을 설정하기는 하였으나, 그 접근 방법론은 사실 불분명했다.

따라서 여성학은 기존의 다양한 분과학문의 방법론을 원용함으로써 자신의 학문적 정체성을 융합/복합된 방식으로 유지해 왔다. 즉 여성을 연구 대상으로 삼되, 철학, 문학, 법학, 역사학, 경제학, 사회학, 생물학, 보건학, 정책학 등 다양한 분과학문이 결합함으로써 학문의 성과를 축적해 왔다. 이러한 상호학문적 접근은 이 글이 궁극적으로 논의하고자 하는 신생 학문으로서 '문화콘텐츠연구'의 정체성을 구성하는 일에도 중요한 참조 체계가 될 수 있다는 점에서 의미가 있다.

따라서 우리말에서 '학'과 '연구'의 개념은 의도적으로 구분하는 편이 좋겠다는 입장이 생겨난다. 즉 '학'은 연구 대상과 연구 방법론 등이 분명한 분과학문의 조건을 갖춘 경우이고, '연구'studies는 그중 하나라도 분명치 않은 경우를 가리킨다. 예컨대 '여성학'처럼 분과학문이 아님에도 의도적 혹은 수사적 표현으로서 '학'으로 규정되는 분야가 현실적으로 없지는 않지만, '학'은 대체로 특정한 분과학문을 지칭하는 편이 옳다. 이에 반해 '연구'는 상호학문적 접근을 통한 학문적 수행을 의미한다.[5]

---

5 그러므로 'women studies'는 '여성학'보다는 '여성 연구'로 번역하는 편이 옳다. 최근에는 다양한 연구 대상에 '학'을 붙이는 경우도 종종 눈에 뜨인다. 예컨대 최근 국내에서 번역, 출판된 중국 인문학자 치안리췬錢理群의 저서 『망각을 거부하라』, 길정행 외 옮김, 그린비, 2012의 부제는 '1957년학 연구 기록'이다. 이런 경우 '1957년'이 시간을 나타내기 때문에 일종의 '수사적 표현'으로서 '학'을 활용했다고 볼 수 있다. 하지만 예컨대 '셰익스피어학'이라고 할 때 '학'은 이보다는 더 높은 층위에서 운위되는 경우이므로 '셰익스피어연구'라고 하는 편이 좋다.

2 '문화'에 대한 분과학문적 접근 문화인류학과 사회학

문화콘텐츠 혹은 문화콘텐츠연구에서 '문화'가 매우 핵심적인 개념임을 전제로 하는 입장에서,6 근대 이후 문화를 학문적으로 실천의 대상으로 삼았던 몇 가지 사례를 살펴봄으로써 이들 사이에 어떠한 연속과 단절이 존재해 왔는지 설명해 보자.

근대 이후 분과학문으로서 문화를 다룬 사례 중 가장 대표적인 경우는 역시 문화인류학이다. 인류학의 한 분야로서 문화인류학은 "세계 여러 민족과 문화를 사회과학적 방법으로 비교하는 학문"7 이다. 인류학은 대체로 생물적 개체로서 인간을 대상으로 하는 형질/체질인류학, 고대 인류의 생활을 다루는 고고인류학, 문화인류학 등 세 분야로 구분된다.8 그중 문화인류학의 연구 대상은 "문화의 개념과 변동을 포함하는 문화이론을 비롯하여 가족, 친족, 혼인, 사회조직, 경제체계, 정치조직과 법질서, 종교, 인성, 언어, 예술, 환경 등 인간 생활의 모든 측면을 포괄한다."9 즉 문화인류학은 '문화'로 포괄되는 인간의 삶의 양식과 경험 등을 다룬다. 이를 더욱 압축적으로 표현하면 "인간의 문화적 특징"이 연구 대상이며, "세계의 인간과 문화"가 연구 범위이고, "인간 생활 경험의 총체적

---

6 자세한 논의는 이 책의 제1장 「문화콘텐츠라는 용어와 개념」을 참조.

7 한상복 외, 『문화인류학』(개정판), 서울대 출판문화원, 2014, 1쪽.

8 한상복 외, 위의 책, 6~13쪽.

9 한상복 외, 위의 책, 1쪽.

접근"이 연구 관점이라고 개괄할 수 있다.10 이처럼 인간의 모든 문제를 학문적 대상으로 간주하는 인류학에 있어서 '문화'는 매우 핵심적인 개념이 될 수밖에 없다.

그러나 근대 이후 학문적 발전을 맞이한 문화인류학은 서구 제국주의의 확장과 긴밀한 관련을 맺어왔다. 새로운 지리적 발견을 통한 제국의 확장을 기획했던 서구 제국주의에 있어서 해당 지역에 대한 문화적 이해는 선결 요건이었다. 원료를 공급받고, 자본을 투자하며, 상품시장을 확보할 땅으로서 식민지 건설에 나섰던 제국이 특정한 지역을 접근하고자 할 때 그 지역의 문화적 특성을 파악하는 임무가 문화인류학에 부여되었다.

동남아시아를 주로 연구해 온 영국의 문화인류학자 캐슬린 고프 Kathleen Gough는 이런 현상을 두고 이렇게 말하기도 했다.

> 문화인류학은 서양 제국주의의 아이였다. 그것은 계몽에 대한 인문주의자의 비전에 뿌리를 두고 있으나, 19세기 말부터 20세기 초까지 수십 년에 걸쳐 대학의 학과discipline이자 근대 과학으로 자신을 위치지었다. 당시는 서양 국가들이 전前 산업적인 비서구 세계를 그들의 정치적, 경제적 통제 아래 두기 위한 최후의 실천적 역량을 쏟아붓고 있을 때였다.11

인류학은 인간의 모든 삶의 영역을 연구 대상으로 삼았고, 문화

---

10 한상복 외, 위의 책, 2~6쪽.

11 Kathleen Gough, "Anthropology and Imperialism," *Monthly Review*, April 1968, 12~13쪽.

제2장 문화콘텐츠연구의 학문적 위상 49

인류학은 문화적 존재로서의 인간을 대상으로 삼는다는 점에 대해서는 대체로 동의할 수 있으나, 실제로 그 구체적인 연구 대상은 연구자 자신들, 즉 연구 주체가 경험해 보지 못한 새로운 미지의 '작은 단위로서의 세계'인 경우가 많았다. 따라서 미지의 문화적 특성을 지닌 채 살아가는 타자로서의 특정한 집단이나 마을, 부족에 대한 연구가 주를 이루게 되었다.12 따라서 그 연구 대상은 일반적으로 다소 작은 단위로서 설정될 수밖에 없었다. 한편, 미지의 대상을 설명하기 위한 문화인류학의 연구 방법론은 문화기술ethnography/민족지로 설정되었다.13

문화인류학은 특정 지역의 문화를 기술하는 과정에서 구체적으로 현지조사나 참여관찰 등 질적 연구 방법을 주로 원용했다. 이런 방법을 통해 얻게 된 자료를 해석하는 다양한 관점 또한 역사적으로 발전해 왔다. 일본 학자 아야베 쓰네오綾部恒夫는 문화인류학의 이론을 문화진화론, 문화전파주의, 기능주의, 문화상대주의, 구조주의, 마르크스주의, 인식인류학, 상징인류학, 해석인류학, 현상학 등과 같이 10가지로 제시했다.14 이와 같은 연구 대상의 설정과 연

---

12 "지난 40여 년간 세계에서 가장 많이 읽힌 인류학 입문서의 하나가 그 제목을 『Other Cultures』J. Beattie, 1964라고 했듯이, 대부분의 서구 인류학자들이 조사연구를 행한 대상은 모두 자기 나라가 아니며 동시에 거의 비서구 사회였다. 이러한 경향은 여전히 강하여 인류학의 특성을 결정짓는 한 요소로 거론되기도 한다." 한상복 외, 위의 책, 43쪽.

13 윤택림, 『문화와 역사 연구를 위한 질적 연구 방법론』, 아르케, 2013 참조.

구 방법론의 원용, 연구 관점의 결합을 통해 문화인류학자들은 19세기 말 이래로, 100여 년 동안 자신들과는 '다른' 지역에서 살아가고 있는 인간의 문화적 차이들을 밝혀내는 성과를 축적할 수 있었다.

문화인류학과 유사한 분과학문으로 사회학[sociology]이 있다. 18세기 중엽 유럽에서 비롯된 이 학문은 1840년대에 이르러 오귀스트 콩트[Auguste Comte]에 의해 '사회학'이라는 명명을 얻은 뒤,[15] 20세기를 정점으로 발전해 왔다. 사회학은 "인간의 삶과 사회적 집단, 전체 사회와 인류 세계에 대한 과학적 탐구를 하는 학문"으로서 그 "주된 관심이 사회적 존재인 우리 자신의 행위에 있"으며, 그 "범위는 길거리에 스쳐 지나가는 사람들 사이의 일시적 만남에 대한 분석에서부터 이슬람 근본주의의 기원과 같은 국제관계와 지구적 형태의 테러리즘에 이르기까지 지극히 넓다."[16] 실제로 앤서니 기든스[Anthony Giddens] 등이 범주화한 사회학의 연구 대상과 범주는 세계화와 사회변동, 환경, 도시와 도시 생활, 일과 경제, 사회적 상호작용과 일상생활, 생애과정, 가족과 친밀한 관계, 건강·질병·장애,

---

14 綾部恒夫, 유명기 옮김, 『문화인류학의 20가지 이론』, 일조각, 2009. 이 책의 원제 또한 "文化人類學20の理論"이다. 그러나 옮긴이는 이 20개 항목 가운데 제1장부터 제10장까지는 문화인류학의 이론이지만, 제11장부터 제20장까지는 "영역별 연구 주제를 다룬 부분"이라고 보았다.

15 Anthony Giddens 외, 김미숙 외 옮김, 『현대사회학』, 을유문화사, 2015, 34쪽 참조.

16 Anthony Giddens 외, 김미숙 외 옮김, 위의 책, 26쪽.

계층과 계급, 빈곤·사회적 배제·복지, 글로벌 불평등, 젠더와 섹슈얼리티, 종교, 미디어, 조직과 네트워크, 교육, 범죄와 일탈, 정치·정부·사회운동, 민족·전쟁·테러리즘 등에 이르기까지 매우 광범위하다.[17] 이와 같은 연구 대상 및 범주는 문화인류학의 그것과도 상당 부분 겹친다. 연구 대상과 범주만으로는 두 분과학문의 차이를 크게 구별하기 어려울 정도다. 그러나 보통 ― 오늘날에는 그러한 구별마저 희미해지고 있어서, 문화인류학과 사회학이 학문적 제도로서만 구별되는 경향이 없지 않지만 ― 문화인류학이 외재적 시각에서 '미지의 세계'에 대한 관찰과 연구를 주로 수행했다면, 사회학은 주로 연구자 자신의 거주 지역을 중심으로 한 내재적 시각에서 연구를 수행하는 경향이 있다. 연구 방법론 또한 문화인류학과 크게 다르지 않다. 다만 주요한 차별점이 있다면 사회학의 경우 양적 연구 방법과 질적 연구 방법을 모두 활발하게 원용한다는 점이다. 사회학은 그중에서도 현지 조사를 통한 문화 기술, 설문조사, 실험, 문헌조사 등의 연구 방법론을 적극적으로 원용한다.[18]

이중 문화 기술 방법론은 문화인류학에서도 매우 적극적으로 원용되고 있어서 일부 연구 결과는 두 분과학문이 매우 유사한 특성을 드러내기도 한다. 특히 두 분과학문에서 가장 핵심적인 층위에 놓여 있는 두 개념, 즉 '문화'와 '사회' 개념은 각각의 학문이 마치 서로 다른 함의를 가진 것처럼 원용하려는 태도마저 없지 않지

---

17 Anthony Giddens 외, 김미숙 외 옮김, 위의 책 참조.

18 Anthony Giddens 외, 김미숙 외 옮김, 위의 책, 72~73쪽.

만, 궁극적으로는 크게 다르지 않다고 해도 과언이 아니다. '문화' culture와 '사회' society가 어떤 층위에서 인간 삶의 영역을 명확하게 구분하는지는 굳이 논의할 필요가 없을 정도다. 그러한 노력은 표면적으로는 일정한 학문적 시도로 간주될 수 있을지 몰라도, 실제적으로는 제도화된 학문적 범주의 기득권을 옹호하려는 비학문적 결과에 이르고 말 공산이 크다.

실례로 피터 버크 Peter Burke는 자신의 역작 『문화사란 무엇인가?』 What is Cultural History?에서 "영국의 인류학자들은 스스로를 '사회' 인류학자라고 부르는 반면, 미국 인류학자들은 스스로 '문화' 인류학자라고 불렀다"는 사례를 소개하거나,[19] '사회적'과 '문화적' 혹은 '사회사'와 '문화사'라는 용어가 기본적으로 유사한 맥락에서 쓰인다고 설명한다.[20]

이처럼 '문화'에 관한 근대 이후 학문적 접근은 산업혁명을 기점으로 하여 사회과학적 범주에서 문화인류학과 사회학이라는 두 분과학문을 수립하면서 확장된 근대 세계의 안과 밖, 즉 유럽의 학자들에게 있어서 내부 세계사회학의 갈등과 모순을 설명하고 해석하거나, 외부 세계문화인류학의 차이와 구조를 관찰, 조사하고 해석하는 임무를 수행해 왔다. 분과학문으로서 이들은 각자의 특성을 가지고 학문 제도 내부로 편입되었으나 오늘날에 이르러서는 상호 간에

---

19 Peter Burke, *What is Cultural History?*, Cambridge: Polity, 2008, 4쪽.

20 Peter Burke, 위의 책, 2008, 115쪽.

몇 가지 지엽적인 차이를 제외하고는 학문적 차별성을 상실해 가는 중이다. 이런 상황이 전개된 데에는 문화인류학의 연구 방법론이 특정한 지역에서 최소 1년을 주기로 하는 참여관찰을 강조하고 있는 점과 무관하지 않다. 이런 연구 방법은 실제로 기성학자에게 적잖은 비용과 대가를 요구하기 때문에 오늘날 문화인류학자들은 전통적으로 사회학의 영역이었던 내부 사회의 문제로까지 학문적 관심을 확장하는 중이다. 이러한 논란이 있음에도 두 분과학문이 근대 이후 '문화'를 학문적으로 범주화하고, 이론화하면서 학문 제도 내부에서 공고한 역량을 축적해 왔음은 부인할 수 없다.

그러나 오늘날 '문화'를 또 다른 중심축에서 바라볼 때, 이 분과학문들의 역할이 제한적이라는 점도 간과할 수는 없다. 즉 오늘날 학문적 대상으로서 문화는 (1) 예술적 층위에서 미학·서사학적 접근 (2) 산업적 층위에서 경제·경영학적 접근 (3) 정책적 층위에서 행정·정책학적 접근 (4) 기술적 층위에서 공학적 접근 (5) 전통의 현대화라는 역사학적 접근 (6) 융합과 복합이라는 상호학문적 접근 등을 모두 아우르기 때문이다. 따라서 오늘날 '형성 중'인 학문으로서 문화콘텐츠연구는 문화에 대한 분과학문의 자산을 계승하면서도 다른 한편으로는 단절을 통한 초월이라는 필요에 직면하게 된다.

3 '문화'에 대한 상호학문적 접근 지역연구와 문화연구

제국주의를 위해 음으로 양으로 복무한 사회학과 문화인류학은 결과적으로 풍부한 학문적 성과를 축적했다. 사회학은 연구 주체 자신이 거주하는 사회에 대한 관심을 갖고 내재적 접근을 주로 수행하는데 적극적이었고, 문화인류학은 타자에 대한 외부적 접근을 수행했다. 그럼에도 '학문적' 생산물을 발주한 제국주의의 입장에서는 그 지식 생산 경향이 원래 의도와는 조금은 다른 방향으로 진행되고 있었다. 앞서 언급한 대로 제국주의의 욕망과는 달리 문화인류학자들의 관심은 상대적으로 협소한 지역에 머물러 있었기 때문이다. 광범위한 지역을 통제함으로써 경제적 효과를 극대화하고자 했던 제국주의에게는 미시적이고 제한적인 지역에 대한 탐구를 벗어나 더욱 폭넓은 지역에 대한 거시적 탐구가 필요했다.

이러한 상황에서 등장한 학문 경향이 바로 지역연구^{area studies}다. 지역연구는 세계를 주요한 '지역' 단위로 나누고 그 단위 내에서 발생하는 정치·경제적 현상에 대한 탐구를 주로 수행함으로써 서구 강대국의 욕망을 충족하는데 일조했다. 지역연구는 비록 '문화' 그 자체만을 연구 대상으로 설정하지는 않지만, 문화인류학과 유사한 배경에서 탄생했다. 이러한 사실은 그것이 '다른 지역' 즉 '타자'에 대한 학문적 관심을 우선시한다는 점에서도 알 수 있다.

"지역연구라는 말을 정착시키는데 결정적인 공헌을 한 것은 말할 필요도 없이 미국 학계"로, "1943년 12월에 컬럼비아대학이 일찍이 '지역연구'라는 표현을 사용했"다.21 지역연구 개념은 특히 20세기 중반에 이르러 활성화되기 시작했는데 이는 제2차 세계대전의 현실적 필요에 복무하기 위함이었다. 야노 도오루矢野暢가 인용한 바와 같이 로버트 홀Robert Hall은 이를 두고 당시 미국의 "군부는 전면 전쟁에 있어서 지역에 대한 지식의 요청을 통감하고 지역과 언어에 대한 교육계획을 각지의 대학교에 분담하였"으며, 따라서 "이 전쟁은 지역연구를 촉진하고 그것에 대한 열광적인 관심을 불러일으켰다. 〔…〕 워싱턴이나 해외에 있어서 정부의 조사연구도 오로지 지역 단위로 행하여지고, 많은 대학교수가 종군 체험을 통하여 지역연구적인 접근이라는 첫 체험을 가지고 그것에 몰입"했다고 말했다.22

야노 도오루는 지역연구를 "인문과학, 사회과학 혹은 자연과학이든 어느 분야를 막론하고 개발도상지역을 중심으로 세계 모든 지역의 성립 또는 그곳의 인간 삶에 관하여, 어떤 지역의 전체 혹은 개별적인 국면을 대상으로 현지 조사를 축으로 하는 실증주의적 방법에 의한 해명을 시도하는 학술 연구"23로 정의한다. 중요한 점은 지역연구가 문화인류학이나 사회학처럼 사회과학의 한 분과로

---

21 矢野暢 엮음, 아시아지역경제연구회 옮김, 『지역연구의 방법』, 전예원, 1997, 22쪽.

22 Robert Hall, *Area Studies: with Special Reference to their Implications for Research in the Social Sciences*, 1947; 矢野暢 엮음, 아시아지역경제연구회 옮김, 위의 책, 22~23쪽 재인용.

23 矢野暢 엮음, 아시아지역경제연구회 옮김, 위의 책, 19쪽.

서 정위되지 않고 있다는 점이다. 그 범주는 인문학과 사회과학, 심지어 자연과학까지를 섭렵하는 메타 학문적 층위에서 논의되고 있다. 실제로 후쿠이 하야오^{福井捷朗}는 「자연과학과 지역연구」라는 글에서 기술과학과 인식과학의 층위에서 농학을 중심으로 한 지역연구의 사례를 다루고 있기도 하다.[24]

그럼에도 현실적으로 지역연구는 사회과학 중심의 연구 방법론을 채택해 온 것이 사실이다. 그것은 지역연구의 학문적 필요가 위에서 살펴본 바와 같은 배경에서 '타자로서의 지역'에 대한 관심으로부터 출발했기 때문이다. 이에 따라 특정 단위 지역을 연구 대상으로 삼기는 하지만 고유한 방법론을 갖추지 못했던 지역연구에 있어서 연구 방법론은 결국 기존의 분과학문에서 차용해 오는 방식으로 수립될 수밖에 없었다. 쓰보우치 요시히로^{坪內良博}가 지적한 대로 지역연구는 역사학, 지리학, 문화인류학 등의 분과학문과 긴장된 친연성을 확보한 상태에서 연구를 수행한다. 또한 경제학, 정치학, 사회학, 언어학, 생태학 등과도 관련성을 맺으면서 연구를 수행한다. 그중에서도 지역연구는 문화인류학이나 사회학적 연구 방법론 즉 현지 조사, 참여관찰, 문화 기술 등의 방법론을 중점적으로 원용하고자 했다. 비록 쓰보우치 요시히로는 이렇게 지역연구와 가깝거나 먼 분과학문들의 특성을 검토한 뒤, "지역연구 자체가 하나의 학문 분야^{분과학문:인용자}가 될 수 있을까라는 의문이 생긴다. 지

---

24 福井捷朗, 「자연과학과 지역연구」, 矢野暢 엮음, 아시아지역경제연구회 옮김, 위의 책, 95~122쪽.

역연구를 지역의 특수성을 종합적으로 이해하는데 주력하는 방법론의 일환으로 파악한다면 답은 '그렇다'인 동시에 '아니다'이다. 통합 그 자체가 학문 분야가 되는 것은 어렵지만, 통합을 향한 노력이야말로 지역연구의 본질적 부분으로 간주되기 때문"[25]이라고 진술하기는 했지만, 그럼에도 그의 앞선 논의들은 지역연구가 곧 상호학문적 연구 위에서 구성되는 학문적 생산임을 의미한다.

　지역연구의 이런 고민은 우리가 앞서 제기했던 문화콘텐츠의 학문적 위상을 어떻게 위치 지을 것인가 하는 문제를 해결하는데 중요한 참조 체계가 될 수도 있다. 그럼에도 지역연구는 현실적으로 각각의 분과학문에서 다루었던 많은 전문적 연구를 지역연구 내부로 흡수하지 못하면서, 동시에 정치경제학적 입장을 중심으로 한 논의를 첨병으로 내세우는 경험을 강화하는 학문적 경향으로 인해 다양한 상호학문적 연구를 통한 종합적 공동 연구의 성과 창출에는 그다지 성공적이지 못했다. 특히 문화인류학이라는 분과학문과의 친연성으로 인해 원용될 수 있었던 현지 조사나 문화 기술 방법론 등과 같은 질적 연구 방법론이 확장되어 활용되지 못한 점 또한 지역연구 자체를 이상적인 틀에 못 미치는 위축된 학문적 경향으로 만들었다. 그 결과 오늘날 지역연구는 자신의 이상이 인문학과 사회과학, 자연과학 등을 아우르는 종합적인 분석과 해석의 지평으로까지 나아가지는 못한 상태를 초래했다.

25　坪內良博, 「전문분야와 지역연구」, 矢野暢 엮음, 아시아지역경제연구회 옮김, 위의 책, 84쪽.

무엇보다 지역연구의 위축된 경향은 "20세기 세계의 시대적 요청으로 태어났다고 하는 존재의 피구속성" 즉 "미합중국의 세계 전략, 그것에 묶여진 학계 동향 및 제2차 세계대전 전중 전후의 세계 정치의 동향과 밀접 불가분하게 연결되어 발달했다는 사실"과 "20세기 최강의 '강한 공간'인 미국이 동시대적 상황에서 만들어 낸 세계적 대응을 위한 정책과학"[26]이라는 정체성에서 자유로울 수 없었기 때문이다. 이로 인해 탈식민주의자 에드워드 사이드 Edward Said가 '추악한 신조어' ugly neologism[27]라고 신랄하게 비판한 바와 같이 지역연구는 미국 중심의 강대국에 의한 세계 지배 전략에 의한 학문적 호응이라는 프레임에서 자유로울 수 없었다.

그럼에도 지역연구는 세계를 구분하는 단위를 새롭게 설정하면서 '지역'을 지방local 국가nation/state 권역region 지역area 등의 개념으로 재구획하거나 혹은 찰스 웨글리Charles Wagley의 표현대로 문화 지역cultural area 생태 단위ecological area 또는 이들의 각 부분적 구획으로[28] 간주할 수 있게 해 주었다. 다시 말하면 지역연구의 가장 큰 공헌은 기존 분과학문 체계에서는 상상할 수 없었던 연구 대상의 재구성이었으며, 그에 따라 분과학문의 방법론들을 교차하는 방식으로 인문학, 사회과학, 자연과학을 폭넓게 아우르는 상호학문적 연구를 시도했다는 사실이다. 분명한 점은 지역연구가 이 과정에서

---

26 矢野暢 엮음, 아시아지역경제연구회 옮김, 위의 책, 21쪽.

27 Edward Said, *Orientalism*, Random House, 1978, 53쪽.

28 矢野暢 엮음, 아시아지역경제연구회 옮김, 위의 책, 26쪽, 재인용.

역시 문화인류학이나 사회학 등을 중심으로 하는 기존 분과학문과 연구 방법론의 층위부터 지식 생산의 정신^{spirit}의 층위에 있어서 일정한 계승 및 확장 관계를 구성하고 있다는 사실이다. 따라서 지역연구는 20세기 전반 분과학문이 세계를 다루는 방식을 원용하여 그에 대한 새로운 인식적 전환을 가져왔다고 할 수 있다. 물론 지역연구는 출발점과는 달리, 이후 정치경제학에 주도권을 넘겨줌으로써 당초 기획과는 달리 인문학부터 자연과학까지를 섭렵하는 학문적 사례들을 축적하지 못하고, 그 자신의 기원으로 일컬어질 수 있는 문화인류학과 사회학 등을 내부로 포섭하지 못하는 결과를 가져오기도 했다. 그러므로 오늘날 되돌아보았을 때, 지역연구는 충분한 학문적 공헌과 함께 한계를 동시에 지니고 있다고 할 수 있다. 특히 문화에 대한 학문적 접근으로서 지역연구는 새로운 방법이나 관점을 제시했다기보다는 특정 지역 단위의 문화를 통합적으로 논의하려는 학문적 경향을 이끌었다는 수준에 그치고 있다고 해도 과언이 아니다.

20세기 중반 이후, 즉 제2차 세계대전 이후 등장한 문화에 관한 또 다른 학문적 경향은 바로 '문화연구'$^{cultural\ studies}$다. 문화인류학과 사회학, 지역연구가 문화를 다룸에 있어 근대 이후 일련의 계승 관계에 놓여 있다면, 문화연구는 이러한 흐름과 상대적인 위치에 놓인다. 문화연구의 학문적 전통은 물론 20세기 초반까지 거슬러 올라가지만, 본격적인 의미에서는 대체로 1964년 영국 버밍엄대학 University of Birmingham의 현대문화연구소$^{Center\ for\ Contemporary\ Cultural\ Studies}$의 설립과 더불어 시작됐다고 여겨진다. 여기서 문화연구에 대한 일반적인 논의를 재삼 부언할 필요는 없을 것이다. 문화연구는 실제로 20세기 인류의 의식을 바꾸어 놓은 주요한 사상가들, 예컨대 칼 마르크스^{Karl Marx} 지그문트 프로이트^{Sigmund Freud} 페르디낭 드 소쉬르^{Ferdinand de Saussure} 등의 지적 자산들을 끌어모으면서 발전해 왔다. 그러나 그 본원은 무엇보다 "현실 문화에 대한 비판적 개입"에 있다고 해도 과언이 아니다. 현실에 대한 비판적 개입으로서의 문화연구는 무엇보다 고급문화와 대중문화의 위계를 해체하면서 대중문화를 학문 연구의 대상으로 승격하고 이에 대한 상호학문적 연구를 수행함으로써 20세기 후반 이후 세계 인식의 폭과 깊이를 넓혔다는 점이 가장 큰 공헌이라 할 수 있다. 이 과정에서 문화연구는 문학과 서사학, 문화인류학, 사회학, 커뮤니케이션연구, 정치학, 경제학, 공학 등의 다양한 분과학문의 자산을 수렴하면서 그들이 상정한 세계, 즉 연구 대상으로서의 텍스트와 수용의 양상, 그 사이에 내재한 이데올로기와 권력관계를 폭로하고 해석하는 작업을 수행해 왔다. 이런 경향 때문에 문화연구 역시 역사학, 문화인류학, 사회학 등의 분과학문 전통을 충분히 수렴할 수 있었고, 거기에 더해 문학과 커뮤니케이션연구 등의 전통도 함께 아우를 수 있었다. 또한 그 연구 관점은 구조주의, 마르크스주의, 후기구조주의, 페미니즘, 포스트모더니즘 등을 폭넓게 포용하는 경향을 보여주었다. 따라서 문화연구 역시 상호학문적 연구 경향이라고 본다면, 이는 지역연구가 성취하지 못한 일련의 통합적인 상호학문적 연구, 즉 인문학과 사회과학, 자연과학을 아우르는 ― 예를 들면 인도에서 발전한 문화연구는 과학문화연구로 특징짓는다 ―

학문적 성과를 구축했다고 할 수 있다.[29]

근대 이후 문화를 분과학문 층위에서 다뤄온 문화인류학이나 사회학, 또는 상호학문적 연구로서 접근한 지역연구와는 달리 문화연구는 기존의 권력 체계에 순응하지 않고 이를 비판적으로 접근하면서 자신의 정체성을 형성해 왔다. 그런 의미에서 문화연구를 "세계를 구별 짓는 방식에 관한 존재론적 고민과 실천론적 행위"라고 규정하고 "그 '구별'의 방식들이 어떻게 차별로 전화하는지, 그 내부에서는 어떻게 권력관계가 작동하는지를 폭로하고 전망을 제시하는 일이야말로 오늘날 문화연구의 궁극적 지향이자 문화가 다시 일상의 층위로 되돌아오는 길이라고 생각한다"[30]고 했던 발언은 여전히 의미를 갖는다.

문화연구와 관련하여 한 가지 더 제기하고 싶은 문제는 그 연구 대상이 곧 '문화'임을 의미하는가 하는 문제다. 다시 말하면, '문화연구'란 "문화를 연구하는 행위"를 의미하는 것인가 하는 물음이다. 물론 이런 주장은 당연히 옳다. '문화연구'의 대상은 곧 '문화'이다. 조금 더 정치적으로 말한다면 '대중문화' 혹은 '현대문화'라

---

29 문화연구에 대한 일반적 논의에 관해서는 다음을 참조. Graeme Turner, 김연종 옮김, 『문화연구입문』, 한나래, 1995; John Storey, 박이소 옮김, 『문화연구와 문화이론』, 현실문화, 1999; John Storey 엮음, 백선기 옮김, 『문화연구란 무엇인가?』, 커뮤니케이션북스, 2000; 정재철, 『문화연구의 핵심개념』, 커뮤니케이션북스, 2014. 등

30 임대근, 「상하이영화 연구 입론」, 『중국현대문학』 제38호, 2006, 354쪽; 임대근, 「주체 위치와 둘레 넘기 : "2007 인터아시아문화연구회 상하이대회"를 다녀와서」, 『중국현대문학』 제42호.

고 하는 편이 나을 것이다. 그러나 "문화연구란 그 연구 대상이 곧 '문화'임을 의미하기 때문에 출현한 개념"이라고 말한다면 그 것은 논쟁적이다. 여기서 우리는 연구[study/studies] 행위를 구성하는 네 가지 요소, 즉 연구 대상과 연구 방법, 연구 관점, 연구 주체에 대한 더욱 정밀한 논의를 전개할 필요가 있다. 즉 지금까지 우리가 검토해 온 바대로 특정한 대상을 연구하는 행위만으로 모종의 학문이 개념화할 수는 없다. 문화연구의 대상은 분명 그 자체를 규정하는 일일 뿐만 아니라, 연구 방법의 설정, 연구 수행자의 주체위치[subjective position] 나아가 연구 관점의 수립 등과도 긴밀하게 연관돼 있다.

문화연구는 예의 상호학문적 연구의 특성을 가지므로 다각적인 연구 방법을 포용한다. 텍스트의 기호화와 해독에 관한 연구[Stuart Hall]는 물론 수용자 연구에 있어서도 문화기술 방법론을 원용하는 등[David Morley/Janice Radway]과 같이 연구 대상과 연구 방법을 창조적으로 '절합'하는 시도를 꾸준히 수행해 왔다. 따라서 문화연구의 이와 같은 방법론적 원용을 '방법론의 해방'[exodus of methodology][31]이라고 부른다면, 그것은 단지 형식적 층위에서 다양한 분과학문의 방법론이 교차하는 경관이 아니라, 연구 방법과 연구 대상, 연구 관점, 연구 주체가 질적으로 절합되면서 창의적 연구 기획을 상상하게 할 수 있는 방식으로 작동한다. 그런 측면에서 문화연구는 더욱 개방적이고 자율적인 층위에서 연구 주체의 기획을 지지한다.

---

31 임대근, 「'곤혹'스러운 중국문화연구」, 위의 글, 311쪽.

다만 그것은 시작부터 문화인류학, 사회학, 지역연구가 비판받고 있는 서구 제국주의를 위해 복무하는 정치경제적, 이데올로기적 지향은 배제하고자 노력한다. 또한 끊임없는 자기 성찰을 통해 자신의 학문적 정체성을 유연하게 변주하면서도 비판적 시각을 놓치지 않으려고 노력한다.

다시 말하면, '문화연구'는 단지 문화 현상을 연구 대상으로 삼는 일만이 아니라, 그것이 드러내는 구별과 차별, 권력관계의 정치성 등을 문제 삼으면서 비판적으로 현실에 개입하려고 하는 일련의 의지적 행위가 뒷받침되어야 하는 일이다. 이러한 성격을 탈식민주의적이라고 해석해도 무방할 것이다. 따라서 영어의 'cultural studies'를 우리말로 '문화연구'로 옮기는 과정에서 빚어진 사소한 오해, 즉 "문화연구란 문화를 연구하는 행위"라는 점에 대해서는 재고의 여지가 있다. 영어 표현은 분명히 단지 '문화'가 아닌 '문화적 연구'를 뜻하고 있기 때문이다. 그렇다면 여기서 '문화적'이라는 말은 특정한 태도와 관점을 내포하는 가치 개념으로 이해돼야만 한다.

상호학문적 연구로서 문화를 대상화했던 지역연구와 문화연구는 각각 새로운 연구 대상을 설정하거나 창의적 방법론과 관점을 결합하고자 했던 학문적 상상력을 보여주었다. 이로 인해 우리가 다룰 수 있는 학문 대상으로서 '문화'는 이제 '거의 모든' 게 되었으며, 그것을 분석하기 위한 도구로서 방법론 또한 '거의 모든' 걸 원용할 수 있는 단계에 이르게 되었다. 그럼에도 여기서 '모든 것'이 아니라 '거의'라고 쓸 수밖에 없는 까닭으로 인해 우리는 또 다른 학문적 경향, 즉 '문화콘텐츠연구'와 직면하게 된다. '문화콘텐츠연구'가 출현하게 될 수밖에 없었던 이 같은 상호학문적 연구의 한계는 다음과 같다. (1) 지역연구는 그 학문적 공헌에도 불구하고 대상 단위로서 지역을 이해하고 설명하는 과정에서 문화를 핵심 대상이나 가치로 간주하지 못한 데서 오는 불균형이라는 문제를 내포해 왔다. 이는 또 다른 사례로서 문화연구와는 어떻게 조우하고 결별하는가 하는 점에서도 문제적이다. (2) 문화연구 역시 인류가 궁극적으로 추구해야 할 가치를 제시하고자 했던 공헌과 달리, 산업으로서 문화에 대해 매우 비판적이어서, 오늘날 굳은 용어로 자리 잡은 '문화산업' 개념을 적극적으로 포용하지 못했다. (3) 문화연구는 또한 현대문화의 생산과 소비의 과정을 도외시하며 이를 개별적인 '수용'으로만 간주하는 경향을 보였다. (4) 문화연구는 현대문화 또는 대중문화에 대한 집중적인 관심으로 인해 문화유산이나 문화원형 등과 같은 전통문화의 현대화 담론을 주도하지 못했다. (5) 문화연구는 급속히 발달하고 있는 문화 기술의 문제를 설명하거나 예측하지 못했다. (6) 문화연구는 새롭게 등장하고 있는 다양한 장르로서의 문화 현상[전시/게임/테마파크] 등을 연구 범주화하지 못했다. (7) 문화연구는 이데올로기 비판을 충실히 수행함으로써 일정한 학문적 성취를 이루었지만 동시에 문화에 대한 관점을 계급 담론으로 환원했다는 한계를 가지고 있다.

4 학문 전통의 계승과 극복 문화콘텐츠연구

영국에서 비롯된 문화연구는 전 세계로 확산하면서 다양한 학문
적 변주를 가져왔음에도 불구하고 적극적으로 포괄하지 못했던 중
요한 문화 현상은 바로 '문화산업'에 대한 관심이었다. 주지하다시
피 '문화산업'은 문화연구와 학문적 계승 관계를 이루고 있는 프
랑크푸르트학파의 비판론자들에 의해 명명된 개념으로서[32] 배격해
야 할 무엇으로 간주됐지만, 21세기를 전후한 시점부터 산업계 내
부는 물론 행정부나 학계에서조차 거부하기 어려운 필수적인 개념
으로 자리 잡게 되었다. 물론 이 개념이 신자유주의의 전개와 더불
어 문화마저 산업화하려는 일련의 시도에 의한 것임은 분명하다.
그럼에도 문화의 산업적 속성을 추구하는 그 도저한 물결 자체를
막을 수는 없게 되었다. 그리고 앞서 살펴본 바와 같이, 공교롭게
도 문화연구의 전통을 발전시켜 온 영국으로부터 이 용어를 순화
하면서 연착륙하려는 일련의 시도들이 나타났다. 그것은 '창조산
업'creative industries[33] '창조경제'creative economy[34] 등의 개념화로 이어
졌다. 지극히 한국적 개념으로 정착한 '문화콘텐츠'는 바로 이러한

---

32 Th.W.Adorno & Max Horkheimer, 김유동 옮김, 『계몽의 변증법』,
　　 문학과지성사, 2001, 183~251쪽.

33 Chris Smith, *Creative Industries Mapping Documents*, Department
　　 for Culture, Media and Sport, 1998; 2001.; John Hartley etc, *Key
　　 Concepts in Creative Industries*, SAGE, 2013, 59쪽.

34 John Howkins, 김혜진 옮김, 『창조경제』, FKI미디어, 2013.

개념들의 번역이라고 할 수 있다.

한국 학계에서 일어난 문화콘텐츠에 대한 학문적 접근 방식을 경험적으로 살펴보면, 대체로 다음과 같은 세 가지 입장 또는 태도로 나타난다. 첫째, 문화콘텐츠는 곧 문화산업이라고 간주하는 경우다. 이들의 태도는 주로 경제학적 접근을 수반하며 마케팅을 통한 이윤 창출에 관심을 두고 문화콘텐츠를 대상화한다. 신자유주의적 입장에서 우수한 문화상품을 생산하여 국가 간, 지역 간 거래를 통해 자본을 창출하고 이를 다시 투자로 환원해야 한다는 입장이다. 그러므로 이들에게 있어서 문화콘텐츠는 산업적 이윤 창출을 위한 도구에 다름 아니다. 문화콘텐츠가 궁극적 목적으로 간주될 필요도 없지만, 그렇다고 철저히 도구화하는 것은 또 다른 부작용을 낳게 될 것이다. 예컨대 이런 입장에서는 철저하게 시장 논리가 판단 기준이 되는 바, 가치 부재한 문화콘텐츠의 경우 언제든 도태되거나 폐기되어도 무방하기 때문이다. 즉 문화콘텐츠의 최종적 가치를 산업에 둘 때 나타날 개연성이 있는 문화적 가치의 상대화 문제를 심각히 고려해야만 한다.

둘째, 문화콘텐츠가 곧 문화원형이라고 간주하는 경우다. 이들의 태도는 주로 역사학적 혹은 문학적 접근을 수반하며 문화원형의 현대화modernization에 더욱 관심이 많다. 이들은 문화원형으로서 인류의 지난 문화적 자산을 있는 그대로 보존하는 가치보다 이를 변형하고 변주함으로써 오늘날 현대인을 위한 새로운 콘텐츠로 재생산, 재맥락화해야 한다는 점을 강조한다. 이러한 입장은 문화콘텐츠의 기획과 생산의 원천을 인류의 이전 자산에서 찾아냄으로써 안정적으로 문화콘텐츠의 원천 소스를 공급하려 한다는 장점을 갖는다. 문화콘텐츠연구를 범주화하는 중요한 핵심어인 스토리텔링이나 디지털 인문학 등에 관한 논의가 이런 입장을 지지하는 경우가 많다. 따라서 문화기술의 발전에 관심을 두는 편이다. 이런 입장은 동시에 문화원형의 보존과 활용이라는 측면의 논의와 나아가 미래지향적 창의적 문화콘텐츠의 발굴이라는 측면의 논의가 함께 수행되어야 할 필요를 갖는다.

셋째, 문화콘텐츠가 곧 융합 또는 복합이라고 간주하는 경우도 있다. 이들은 기존의 문화 장르 간 결합을 통해 새로운 콘텐츠를 생산하기 위해서 노력하는 편이다. 따라서 이 역시 문화기술에 대한 관심과 노력을 많이 기울이게 된다. 새로운 콘텐츠를 생산하기 위한 노력은 다양한 방식으로 수행되지만, 이러한 세 가지 입장 중 단일하게 어느 하나만을 주장할 수는 없다. 물론 이러한 입장들이 일도양단의 방식으로, 선명한 자각적 인식을 가지고 나타나는 것도 아니다. 그러나 오히려 그러한 비자각적 인식이야말로 문화콘텐츠에 관한 학문적, 실천적 논의 과정에서 소통의 난점을 유발할 수 있다. 그러므로 이러한 입장과 태도들이 상호 배척하지 않고, 소통과 이해를 통해 문화콘텐츠의 학문적, 실천적 성과를 도출할 수 있도록 노력해야만 한다.

문화콘텐츠를 학문적으로 접근하기 위한 여러 노력의 결과가 보고되어 왔다. 예컨대 김기덕은 한국에서 문화콘텐츠에 관한 학문적 접근이 어떻게 제도적으로 성립하고 발전했는지, 그 과정에서 어떠한 이론적 논의를 구축해 왔는지를 다룬 일련의 글, 즉 「문화콘텐츠의 등장과 인문학의 역할」35과 「인문학과 문화콘텐츠」36 등을 발표하여 관련 작업을 주도해 왔다. 이들을 통해서 우리는 한국에서의 문화콘텐츠가 '인문콘텐츠'로 정위된 역사적 과정과 연구자들의 노력과 성과는 물론 그것이 현재 당면한 다양한 제도적 문제점을 파악해 볼 수 있다. 무엇보다 이런 논의들과 우리 주장의 가장 중요한 공통점은 문화콘텐츠연구가 갖춰야 할 '문화적' 가치, '인문적' 가치에 대한 강조점이라 해도 과언이 아니다. 사실 '문화콘텐츠'라는 말과 '인문콘텐츠'라는 말은 결코 다른 층위의 개념이 아니다. '인문'이라는 말이 때때로 영어 단어 'culture'의 번역어로 쓰인다는 점만 보아도 그렇다. 사실 양자는 같은 대상에 대한 다른 표현일 뿐이다. 다만 '문화콘텐츠'가 더욱 대중적으로 사용되는 반면, '인문콘텐츠'는 인문학적 가치를 강조하는 학계 내부의 용어로 정착했다는 점만이 다를 뿐이다.

학문으로서의 문화콘텐츠는 어떤 위상을 갖고 있는가, 혹은 가져야 하는가? 강조하건대, 문화콘텐츠연구는 어느 날 갑자기 등장한 학문적 현상이 아니다. 그것은 근대 이래 지식인들이 집중적으로 탐구해 온 문화에 대한 학문적 실천의 연장선 위에 놓여 있다. 문화콘텐츠연구는 학문적으로 전적인 독립 범주 안에 존재하지 않는다. 문화콘텐츠연구는 문화인류학과 사회학이라는 분과학문의 성과

---

35 김기덕, 「문화콘텐츠의 등장과 인문학의 역할」, 『인문콘텐츠』 제28호, 2013.

36 김기덕, 「인문학과 문화콘텐츠: '인문콘텐츠학회'의 정체성의 문제」, 『인문콘텐츠』 제32호, 2014.

와 한계, 지역연구와 문화연구라는 상호학문적 연구의 성과와 한계들을 변증법적으로 통일하면서 새로운 위상을 형성하고 있는 중이다. 다만 문화콘텐츠에 대한 학문 담론이 그 내부에서 자체적으로 생산된 게 아니라, 산업과 정책이 주도하는 현상에서 먼저 비롯되었기 때문에 그 학문적 인과 관계를 분명히 할 수 없었을 뿐이다. 따라서 이제 우리는 문화콘텐츠연구가 근대 이래 문화에 관심을 가지고 일정한 성취를 축적해 온 학문적 경향들의 한계를 극복하면서 동시에 그 성과를 충분히 계승할 수 있어야 한다는 태도를 가져야만 한다. 설령 문화콘텐츠연구가 전혀 다른 신흥 학문이라 해도 결과적으로 우리에게는 이전 학문과의 관계를 규명해야 할 책임이 있다.

문화콘텐츠연구는 기존 분과학문과는 다른 학문적 경향이다. 그 차이는 어떻게 설명될 수 있는가? 예컨대 문화콘텐츠의 장르콘텐츠로서 영상콘텐츠연구를 상정할 때, 그것과 기존 영화학의 속성과 입장, 태도는 어떻게 달라지는가? 영상콘텐츠연구는 실제로 영상 장르 간 합성, 뉴미디어 영상 융합, 나아가 영상콘텐츠와 다른 장르콘텐츠 사이에 벌어지는 융합 등과 같이 새롭게 출현하고 있는 다양한 영상콘텐츠 현상을 실천적으로 섭렵해야 한다. 그것은 영화학이 자기 완결적인 영화에 대한 논의를 주로 전개하는데 대한 성찰이기도 하다. 작가론, 감독론, 미학론, 산업론, 기술론 등을 다루면서도 이를 자기 완결적 영화를 주로 대상화하고 있는 상황에 대한 성찰인 것이다. 문화콘텐츠연구는 앞서 말한 다양한 종류의 영상콘텐츠 현상을 트랜스미디어의 관점으로 제시할 수 있어야 한다.

문화콘텐츠연구는 단지 영상콘텐츠의 독립적 양태만을 다루지 않고 그것이 다양한 장르콘텐츠들 사이에서 벌이는 상호작용을 다룰 수밖에 없게 된다. 즉 영상콘텐츠와 전시콘텐츠, 공연콘텐츠, 축제콘텐츠, 테마파크콘텐츠 등의 상호 교차와 융합을 설명하는 일에 더욱 많은 관심과 노력을 기울여야 한다.

오늘의 시점에서 현실적으로 문화콘텐츠연구는 상호학문적 연구여야 한다. 문화콘텐츠연구를 특정한 분과학문이라고 간주하기는 어렵다. 문화콘텐츠연구가 통합적인 문화콘텐츠의 특수성을 설명할 수 있으며, 이를 위해 고유한 연구 방법론을 원용해야만 하는가에 대해서는 회의적이기 때문이다. 이는 문화콘텐츠연구가 통합적인 설명을 위한 노력을 방기해야 한다는 뜻이 아니다. 문화콘텐츠연구가 그 연구 대상으로서 문화콘텐츠에 대한 통합적 설명을 지속하려는 노력은 더없이 값진 일이 될 것이다. 그렇다고 해서 문화콘텐츠연구를 특정한 방법론으로 격하시키거나, 특정한 방법론만이 문화콘텐츠연구를 수행할 수 있다는 주장은 성립하기 어렵다. 그런 의미에서 문화콘텐츠연구는 문화연구가 수행해 왔던 바와 같이 상호학문적인 방식으로, 그보다 더욱 폭넓은 연구 대상과 연구 방법을 더욱 창의적으로 절합할 필요가 있으며, 현실적이고 실천적인 연구 관점을 지속하여 제시할 필요가 있다. 따라서 우리는 문화콘텐츠연구를 수행하면서 '방법론의 해방'을 통해 특정한 방법론에 구속되지 않을 필요가 있다. 양적 연구 방법과 질적 연구 방법을 자유롭게 원용하고, 이들을 교차, 삼투, 절합하는 과감한 도구적 입장을 취해야 한다. 그러므로 앞서 말한 바와 같이 분과학문을 지칭

하는 '문화콘텐츠학'이라는 용어보다 학제적 접근으로서 '문화콘텐츠연구'라는 용어가 더욱 타당하다.[37]

그러나 문화콘텐츠 연구를 학문적 차원에서 정위하고, 이를 현실 연구 상황 속에 적용하기란 지난한 일이 아닐 수 없다. 그런 의미에서 잠시 논의를 되돌린다면, '여성학'의 성과가 문화콘텐츠의 모델에 대한 사고의 출발점을 제시했다면, '교육학'의 성과는 문화콘텐츠의 학문적 분류에 — 다소 낮은 층위이며 동시에 근대적 체계이기는 하지만 — 또 다른 참조 체계를 제공한다. 즉 교육학 역시 다양한 분과학문이 결합하는 방식으로서 상호학문적 연구를 구성하는데, 그 대체적인 학문적 구조를 문화콘텐츠 연구와 대비해 보면 다음과 같은 구상도 가능할 것이다. 교육학은 교육철학, 교육심리학, 교육사학, 교육법학, 교육정책학, 교육행정학, 교육경영학, 교육공학… 등과 같은 상호학문적 접근 방식으로서 체계를 구축해왔다. 이와 유사하게 문화콘텐츠연구 또한 문화콘텐츠철학, 문화콘

---

37 일찍이 박상천도 이런 유사한 의견을 주장한 바 있다. 박상천, 「문화콘텐츠학의 학문 영역과 연구 분야 설정에 관한 연구」, 『인문콘텐츠』 제10호, 2007, 80쪽 참조. 박상천은 "엄밀하게 말하면 '문화콘텐츠학'이라는 용어는 그리 적절한 용어는 아닌 것으로 판단된다"며 그 이유를 "'학'이라는 용어는 영어의 'ology'를 연상시켜 '이론 중심'의 학문이라는 인상을 강하게 풍기기 때문이"라고 설명한다. 나아가 그는 문화콘텐츠에 대한 학문적 논의가 이론 중심보다는 그보다 더 나아가는 실천적 층위까지 연결되어야 함을 주장하면서 "'문화콘텐츠연구'라는 용어가 더 적절하다는 판단을" 주장한다. 물론 이와 같은 설명 또한 긍정적인 것이나, 단지 '연구'가 이론-실천의 구분에 의해서만 쓰여야 한다기보다는, 학문적 접근에 대한 방법론 자체가 다르기 때문이라는 층위에서도 논의되어야 한다.

텐츠심리학, 문화콘텐츠역사학, 문화콘텐츠법학, 문화콘텐츠정책학, 문화콘텐츠경영학, 문화콘텐츠공학, 문화콘텐츠텍스트학, 문화콘텐츠교육학… 등으로 그 체계를 구성할 수 있다. 물론 이런 논의가 문화콘텐츠가 가지고 있는 융합·복합적 성격을 벗어나 근대 교육학의 '분류'와 같은 길로 나아가자는 주장은 아니다. 따라서 표층적 층위에서 교육학의 성과를 참조할 수 있으나, 심층적 층위 혹은 실천적 층위에서는 더욱 정밀한 상호작용이 수행돼야만 한다. 즉 문화콘텐츠연구는 기존의 학제적 접근이 실패한 모델을 따르기보다는 그 성과와 한계를 정밀히 검토하여 분과학문들을 초월하고 횡단하는 방식의 초학제적transdisciplinary 연구를 구축할 필요가 있다.

이러한 작업들은 일찍이 제기했던 문제의식과도 맞닿아 있다. 문화에 관한 지금까지의 학문적 작업을 문화콘텐츠연구와 상호 접목해 보려는 작은 시도의 결과로서 『문화연구와 문화콘텐츠: 사례분석을 통한 학문적 실천』의 '머리말'에서 이렇게 말한 바 있다.

> 문화콘텐츠 개념의 새로운 등장 이후, 한동안 그것은 '텅 빈 기표'인 것처럼 여겨지기도 했다. […] 무엇을 일컬어 문화콘텐츠라 하는지에 대한 인식론적 층위의 설명도 적잖이 수행되면서 학문적 욕구를 충족시키려고 노력해 왔다. 다른 한편, 경험론적 층위에서도 꾸준히 문화콘텐츠에 대한 노력들은 있어 왔다. 그런 과정을 통해서 우리는 '텅 빈 기표'를 채워가는 기의들을 발굴하고 창조하는 작업들을 수행해 온 셈이다.

나아가 이 책은 "문화연구는 이미 수많은 경험과 실천을 통해 우리가 지금 문화콘텐츠라고 명명하는 대상에 관한 연구를 수행해 왔다. 그렇게 축적된 연구의 경험을 통해 아직 분명하게 그려지지 못한 문화콘텐츠 연구에 도움을 받고자 하는" 의도로서 기획되었다.[38] 이러한 학문적 작업과 노력이 지속적으로 이뤄져야만 문화콘텐츠연구는 더욱 창조적인 미래를 열어나갈 수 있을 것이다.

문화콘텐츠연구는 그 자체가 하나의 단일하고 궁극적인 학문적 목적을 향해서 나아가지 않는다. 그것은 세계의 다양한 현상들이 서로 교차, 삼투, 결합하면서 이들이 빚어내는 상상력 넘치는 새로운 경관들을 실천적으로 논의하는 과정이 되어야 한다. 오케스트라에 참여하는 각 악기는 별도의 독립적인 무대에서 독주도 가능하고 부분적인 협주도 가능하다. 하지만 때로는 하나의 악보 아래서 거대한 협주 체계를 구축하기도 한다. 그 사이에 벌어지는 다양한 교차, 삼투, 절합의 사례들은 실제로 다양한 상상력을 보여준다. 다양한 현상으로서 콘텐츠들은 각각의 플랫폼이 되고, 문화콘텐츠라는 하나의 '브릿지' 혹은 '플랫폼'을 통해 이동하는 경로가 될 것이다. 또한 문화콘텐츠연구는 초학문적 접근의 방식을 취함으로써 다양한 연구들이 플랫폼이 되고 이를 초월하거나 경유하는 경로로서 문화콘텐츠연구를 상정할 수도 있다. 그러므로 경우에 따라서 문화콘텐츠연구의 출발은 현실적으로 출판, 영상, 공연, 전시, 게임, 축제, 테마파크 등과 같은 장르콘텐츠로부터 시작하지만, 그 지적·학문적 작업의 결과는 문화콘텐츠연구로 절합되는 방식의 연구가

---

38 임대근 외, 『문화연구와 문화콘텐츠: 사례분석을 통한 학문적 실천』, 한국외대 지식출판원, 2014, 6~7쪽.

가능하게 될 것이다. 따라서 문화콘텐츠를 단지 장르콘텐츠로 환원하지 않으면서 이를 관통할 수 있는 지적·학문적 경험의 체계가 축적될 필요가 있다.

문화콘텐츠연구는 이와 같은 학문적 체계를 구축함과 동시에 세계에 대한 더욱 견고한 꿈을 가져야만 한다. 그것은 굳이 말하자면 연구 대상과 연구 방법을 초월하는 연구 관점에 관한 문제이며 동시에 그 연구를 수행하는 연구 주체에 관한 문제이기도 하다. 문화콘텐츠연구는 지난 세기 문화인류학과 사회학이 축적해 놓은 연구 대상에 대해 애정을 가진 태도로, 이를 세밀히 관찰하고 조사하며, 해석하는 학문적 성과들을 계승할 필요가 있다. 그러나 적어도 이들이 보여준 바와 같이, 제국주의를 지지하기 위한 도구적 학문으로 전락해서는 안 된다. 지역연구가 보여준 연구 대상의 재범주화에 대한 태도와 각 학문 분야를 가로지르고자 했던 시도를 계승할 필요가 있다. 그러나 역시 서구 강대국을 위한 학문적 봉사라는 맥락을 비판적으로 극복해야만 한다. 문화콘텐츠연구는 문화연구가 미처 관심을 가지지 못했던 대상들에 대해서, 비판적인 태도만으로 일관했던 가치들에 대해서 적극적으로 수용할 필요가 있다. 특히 문화콘텐츠연구는 비판적이고 실천적으로 현실에 개입하는 문화연구의 전략을 계승할 필요가 있다. 자본의 속성이 만들어 내는 문화의 상품화, 산업화에 비판적으로 개입함과 동시에 기술 중심주의가 빚어내는 환상적인 미래에 대해서도 비판해야 한다. 그런 비판을 통해 문화적 가치, 인문적 가치를 구현할 수 있어야 한다. 그런 의미에서 "세계를 구별 짓는 방식"에 대하여 "존재론적으로 고민하고 실천론적으로 개입"하는 일이 일어나야 한다. 그러므로 지식 생산의 과정에서 연구 대상, 연구 방법의 문제만이 아니라 연구 관점과 연구 주체 요소가 반드시 작동해야만 한다. 따라서 문화콘텐츠 연구의 학문적 성과는 단지 산업이나 융합·복합과 같은 현실론적 층위에서만 논의될 것이 아니라, 우리의 세계가 어떻게 변해야 할지에 대한 우리의 '꿈'을 말할 수 있어야만 한다.

제3장

문화콘텐츠의 분류

■■■■

　문화콘텐츠연구의 과학성을 담보하기 위해서 문화콘텐츠라는 연구 대상의 분류 문제는 중요하다. 선행 논의를 살펴본 바, 대체로 형성 중인 학문으로서 문화콘텐츠연구를 어떤 체계로 구조화할지에 집중하는 '체계에 대한 강박'의 태도가 드러났다. 또한 선행 논의들은 결과적으로 세부 분류의 실례를 제공하지 못했다. 이는 문화콘텐츠의 광범위성과 복잡성에서 비롯된다. 따라서 문화콘텐츠에 대한 체계적 분류라는 강박을 버리고 맥락적 분류에 더욱 관심을 가질 필요가 있다. 근대 이후 지식을 체계화, 구조화하는데 기여해 온 '분류학'^{taxonomy}의 대안 개념으로 나타난 '폭소노미'^{folksonomy}는 이런 구상에 힘을 더해준다. '분류'^{classification}는 사전에 정의된^{supervised} 구조를 바탕으로 한 접근법인 범주화^{categorization}와 그렇지 않은 군집화^{clustering}로 나눌 수 있다. 분류 개념을 검토하면 다음과 같은 전제를 확립할 수 있다. (1) '분류'가 반드시 '분류체계'라는 용어로 대체될 필요가 없으며 (2) 분류 행위에 있어 '기준'은 유연하게 이해되어야 하고 (3) 분류 결과 구분된 대상이 항상 상호 배타적일 필요는 없으며 (4) 분류는 도구적 행위다. 이런 전제를 바탕으로 문화콘텐츠의 맥락적 분류를 시도하면 다음과 같다. 콘텐츠 매개체의 성질에 따른 분류로서 디지털콘텐츠와 아날로그콘텐츠, '스토리' 기반 여부에 따른 분류로서 스토리텔링콘텐츠와 비스토리텔링콘텐츠, 향유자의 수용 감각에 따른 분류로서 시각콘텐츠, 청각콘텐츠, 촉각콘텐츠, 미각콘텐츠, 후각콘텐츠, 기획과 생산 과정 및 결과에 따른 분류로서 목적콘텐츠, 도구콘텐츠, 주제콘텐츠, 콘텐츠 장르에 따른 분류로서 장르콘텐츠 즉 출판콘텐츠, 영상콘텐츠, 공연콘텐츠, 전시콘텐츠, 게임콘텐츠, 축제콘텐츠, 테마파크콘텐츠 등이 그것이다.

문화콘텐츠연구는 과학이다. 이런 당위적 언급은 문화콘텐츠연구가 학문으로서 가져야 할 위상을 분명히 설정하기 위해서 그에 걸맞은 연구 방법론을 원용하고, 연구 대상을 확인해야 할 필요성을 간과하지 말아야 한다는 의미다. 또한 이는 문화콘텐츠연구를 분과학문으로 간주하여 특정한 방법론을 원용하든, 그렇지 않으면 상호학문적interdisciplinary 연구로 간주하여 다양한 방법론을 교차케 하든[1] 학문 연구의 방법론을 분명하게 설정해야 한다는 주장이다. 더불어 문화콘텐츠연구가 근대 이후 학문의 연속선 위에 위치하고 있음을

---

1 태지호는 일찍이 '문화콘텐츠학'의 체계 정립을 주장하면서 '분과학문으로서의 위상 정립'을 제안한 바 있다. 태지호, 「문화콘텐츠학의 체계 정립을 위한 기반 구축에 대한 연구: 분과학문으로서의 위상 정립을 중심으로」, 『인문콘텐츠』 제5호, 2005. 이와 달리 문화콘텐츠연구를 상호학문적으로 접근해야 한다는 주장도 있다. 이에 관해서는 이 책의 제2장으로 수록한 임대근, 「문화콘텐츠연구의 학문적 위상」, 『인문콘텐츠』 제38호, 2015 참조. 그러나 태지호 역시 다른 학문 분야와의 '교류' 및 '연계'를 전제로 하고 있기 때문에 두 주장이 완전히 상반된다고 할 수는 없다.

인식하여, 완전히 새로운 학문이라는 허상을 버리고 과거 학문의 성과를 계승하면서[2] 동시에 그 학문적 전망을 제시하는 일을 소홀히 하지 말아야 한다는 주장이기도 하다.

문화콘텐츠연구의 과학성을 담보하기 위해서는 연구 대상에 대한 면밀한 설정 역시 중요한 과제 가운데 하나다. 연구 대상을 설정하는 작업은 문화콘텐츠연구가 학문적으로 다룰 수 있는 범주를 설정하고 그 집단을 분류하는 문제를 논의하는 데서 출발한다. 특정 분야의 지식 생산 과정에 있어 분류는 그것이 다루고자 하는 대상으로서의 지식을 분할함으로써 그 총량을 줄여줄 뿐만 아니라, 그 복잡성을 단순화함으로써 대상에 대한 명료한 인식을 도와준다.

따라서 범주화^{categorization} 군집화^{clustering} 등, 대상에 대한 분류 행위는 문화콘텐츠의 학문적 정위定位 과정에서 필수 불가결한 선행 과제가 아닐 수 없다. 분류는 학문 행위, 즉 지식 생산 행위의 근간이기 때문이다. "문화콘텐츠연구는 과학"이라는 진술을 다시 살펴보면, 앞서 살펴본 대로, 이때 '과학'이라는 한자 번역어 또한 "학문學을 나눈다科"는 의미를 가지고 있어 흥미롭다.[3]

---

2 문화콘텐츠연구가 "하늘에서 갑자기 뚝 떨어진" 연구 분야가 아니라 근대 이후 여러 학문적 성과를 이어받고 그 한계를 극복하려는 새로운 흐름이라는 주장에 대해서도 다룬 바 있다. 임대근, 위의 글 참조.

3 '과학'이라는 용어는 일본의 난학자들에 의해 "science의 일본어 번역어로서 19세기 말부터 일본에서 사용되었다." 과학은 "보편적인 진리나 법칙의 발견을 목적으로 한 체계적인 지식"을 뜻한다. 이한섭, 『일본에서 온 우리말 사전』, 고려대 출판문화원, 2014, 129~130쪽. science의 어원에 대해 옥스퍼드영어사전$^{Oxford\ English\ Dictionary}$ 과 온라인

그렇다면 연구 대상으로서의 문화콘텐츠에 대한 범주화와 군집화 등을 논의하기 위해 우선 문화콘텐츠의 분류와 관련된 선행 연구를 검토한다. 그리고 분류 행위의 의미를 살펴본 뒤, 문화콘텐츠의 범주와 유형을 살펴볼 수 있는 기준을 논의함으로써 학문적 기초를 세우는데 일조하고자 한다.

1　체계와 맥락 ^{비판적 검토}

　문화콘텐츠연구가 시작되면서 그 대상으로서의 문화콘텐츠에 대한 학문적 분류 행위는 적잖게 논의되어 왔다. 이런 논의는 크게 문화콘텐츠연구의 학문적 위상을 정립하고 그 체계화를 위한 거시적인 목표와 더불어 전개돼 왔다. 태지호,[4] 박상천,[5] 안인자[6], 전충

어원학사전^{Online Etymology Dictionary}은 모두 중세 프랑스어의 cience 또는 science에서 유래했다고 밝힌다. 어원학사전은 이 단어의 기원은 라틴어의 scientia인데, 이 말은 "무언가를 다른 것에서 분리하여 구별하는 것"이라는 뜻을 갖고 있으며, "자르다 또는 나누다"는 뜻의 접두어 skei-가 어원일 것이라고 말한다. 중국의 『설문해자』도 '科'를 "'정'이다. '화'와 '두'를 따른다. '두'란 양을 재는 것이다."^{程也. 从禾从斗. 斗者, 量也.}라고 풀이한다. '정'^程이란 '한도'나 '측량'을 뜻한다. 따라서 '과'는 "곡식을 정량대로 재다"는 뜻에서 점차 '나누다'는 의미로 확장됐다. 許慎, 段玉裁注, 『說文解字注』, 台北:天工書局, 1992.^{영인본} 327쪽 참조.

4　태지호, 위의 글.

5　박상천, 「문화콘텐츠학의 학문 영역과 연구 분야 설정에 관한 연구」,

헌·김웅진7 등의 연구는 이런 논의를 대표한다.

태지호는 일찍이 문화콘텐츠에 대한 학문적 체계를 구축하기 위한 시도로서 '분과학문으로서의 위상 정립'을 위한 논의를 펼쳤다. 문화콘텐츠가 인문학, 예술학, 기술 공학, 사회과학 등 전통 학문 분과를 융합하면서 이론적 차원에서는 응용학문의 가능성 발굴과 제작 방법론을 모색, 실천적 차원에서는 문화예술 고양과 문화유산 진흥, 문화산업 발전의 인프라를 구축해야 한다는 주장이다.8 그는 이 과정에서 "문화콘텐츠의 범위에 대한 문제"를 "큰 논란의 여지가 있는 사안"으로 인식하고 "문화콘텐츠를 넓게 해석하면 디지털 기술과는 비교적 연관성이 적은 '오프라인' 영역에서의 문화콘텐츠" "즉 광의의 개념으로서 관광, 지역 축제, 이벤트, 공연, 연극 심지어는 컨벤션 등"도 포함된다고 인정하면서도 자신의 논의에서는 "협의의 개념" "즉 디지털 기술에 근거하여 온라인으로 서비스될 수 있는 문화콘텐츠만을" 다룬다고 밝혔다.9

『인문콘텐츠』 제10호, 2007.

6 안인자, 「문화분류와 문화콘텐츠산업 분류에 관한 연구」, 『한국비블리아학회지』 제17권 2호, 2006.

7 전충헌·김웅진, 「문화콘텐츠 지식체계의 구축 방안에 관한 연구」, 『문화산업연구』 제11권 3호, 2011.

8 태지호, 위의 글.

9 태지호는 이에 대한 설명을 이렇게 덧붙인다. "그럼에도 불구하고 본 논문은 일부 광의의 개념까지 포함하여 논의되는 부분이 있다. 이는 디지털 시대의 도래로 인한, 온/오프라인의 경계가 모호해지는 현시점에 대한 현황으로 해석되며, 이와 동시에 문화콘텐츠를 논의하는 적용

    박상천은 문화콘텐츠연구의 학문적 체계 정립을 위한 논의를 펼치면서 "학문 영역과 연구 분야 분류"를 시도했다. 그는 '문화콘텐츠학'을 목표로 하여 "문화콘텐츠학을 학술진흥재단^{한국연구재단의 전신:} ^{인용자}의 연구 분야 분류에 분과학문으로 등재하기 위한 연구자들 간의 논의의 필요성"을 제기했다. 이는 문화콘텐츠연구를 학문적으로 제도화하기 위한 노력의 일환이었는데, 결과적으로 '문화콘텐츠학'을 복합학의 하위 범주로 규정하면서 문화콘텐츠 이론, 문화콘텐츠 정책 및 제도, 문화콘텐츠 사례 분석, 문화콘텐츠 기획, 문화콘텐츠 기술, 문화콘텐츠 경제 및 경영, 문화콘텐츠 교육과 같이 모두 7개 소분류 체계로 그 학문 영역과 분류 체계를 시도했다.

    위의 논의에 대해 우리는 두 가지 의문을 제기할 수 있다. 첫째, '문화콘텐츠학'이라는 명명의 사용이다. 박상천은 자신의 연구가 "문화콘텐츠 연구가 '문화콘텐츠학'으로서 정립될 수 있는 가능성을 탐색하려는 학문적 물음에서 출발했"다고 말하고 나아가 "문화콘텐츠학은 개별 분과학문으로 성립할 수 있는 기본 요건인 분명한 연구 대상을 갖추고 있는 것인가"라는 질문을 던지면서 분과학문으로서 '문화콘텐츠학'을 지향하는 입장을 드러낸다. 물론 이때 분과학문이라는 개념을 실용적인 이유 때문에 사용한다고 밝히면서 "다른 학문과의 소통을 도외시한 경계 나누기 식의 분과학문을 의미하는 것은 아니"며, "문화콘텐츠학은 근본적으로 통합적 학문

되는 범위가 확대되는 것이 현재의 추세인 것이다. 특히 이러한 간극은 본 논문의 주된 논의점 중 하나인 문화콘텐츠의 제작 방법론에서 더욱 좁혀지고 있다." 태지호, 위의 글, 188쪽.

연구를 진행해야 할 속성을 가지고 있"[10]다고도 언급한다. 그러나 이런 언급은 문화콘텐츠에 대한 학문적 행위를 분과학문으로 간주할 것인지, 상호학문적 연구로 간주할 것인지에 대한 분명한 인식을 보여주지 못한다는 점에서 아쉽다. 물론 태지호의 연구를 포함하여 이런 논의가 당시 공고한 학문적 위상을 확보하지 못했던 문화콘텐츠연구의 상황을 벗어나기 위한 노력임은 분명하다. 그러나 분과학문이 상호학문적 연구보다 상위 개념임을 주장하는 입장에는 동의할 수 없다.

태지호의 입장은 사실상 분과학문과 상호학문적 연구라는 두 가지 개념을 혼용하고 있다. 그는 한편으로는 "분과학문으로서 문화콘텐츠학이 선행되지 못한다면 관계라는 측면에서 기준이 불분명해지고 결국은 현 단계의 한계에서 벗어나기 어렵다. 특히 단순히 기존의 학문들 간의 연계, 통합이 아닌 개별 학문으로서의 자리매김이 필요한 이유는 문화콘텐츠가 한 시대의 유행에 의해 파생된 것이 아닌, 그 자체로서도 순수하게 존립하기 위해 필요한 조건이"며, "분과학문으로서의 정립은 조속히 마련되어야 한다"고 말하지만, 다른 한편으로는 "문화콘텐츠학은 기존의 응용학문이면서 각 영역과 관계를 맺는 통합학문이"며, "개념 정리를 통한 응용의 과정을 필요로 하는 일종의 '관계학'이라"고 말한다.[11]

박상천도 이에 대한 곤혹스러움을 피력한 바 있다. 그는 "'문화

---

10 박상천, 위의 글, 61·64쪽.

11 태지호, 위의 글, 198~199쪽.

콘텐츠학'이 별개의 분과학문으로 독립하여야 할 당위성을 탐구하고 별개 학문으로 독립할 경우 '문화콘텐츠학'이 위치하여야 할 상위영역과 그 하위의 연구 분야의 분류를 시도"한다고 밝히면서도 "엄밀하게 말하면 '문화콘텐츠학'이라는 용어는 그리 적절한 용어는 아닌 것으로 판단된다"며, "'문화콘텐츠연구'라는 용어가 더 적절하다는 판단을 가지고 있다. 그럼에도 불구하고 굳이 '문화콘텐츠학'이라는 용어를 쓴 이유는 여러 가지 한국 상황을 고려한 때문이다. 다시 말해 한국 상황에서는 '-연구'보다는 '-학'이라는 말을 더 선호하면서 '-연구'는 '-학'의 하위 구분인 것으로 판단하기 때문"이라고 밝혔다.[12]

요컨대 이 논의들은 분과학문과 상호학문적 접근으로서 문화콘텐츠의 학문적 기초에 대한 주장을 혼용하고 있다. 그런 이유는 문화콘텐츠 출현 초기, 그 학문적 기초를 세우기 위한 현실적인 노력의 일환으로 "분과학문으로서의 문화콘텐츠학"이라는 개념을 임시로 내세웠기 때문이다. 그러나 학문 행위로서 문화콘텐츠연구에 대해서는 상호학문적 입장을 지지하고 있다는 점에서는 이론의 여지가 없다.

근대 이후 학문의 역사를 살펴볼 때, 상호학문적 연구는 오히려 분과학문의 한계를 극복하기 위한 시도로 출현했기 때문이다.[13] 따라서 박상천도 결론적으로 동의하고 있는 바와 같이, 문화콘텐츠에

---

12 박상천, 위의 글, 80쪽.

13 이에 관해서는 임대근, 위의 글 참조.

대한 학문적 접근 또한 독립된 분과학문으로서 '문화콘텐츠학'으로 명명되기보다는 상호학문적 접근으로서 '문화콘텐츠연구'라는 명칭이 더욱 타당하다.

둘째, 박상천의 분류는 결과적으로 문화콘텐츠를 학문적으로 접근하기 위한 시도로 수행되었는데, 그는 이를 두고 "학문 영역과 연구 분야 분류"라는 표현을 사용했으나, 이는 오히려 문화콘텐츠 연구를 상호학문적 방식으로 접근해야 한다는 당위성만을 더 확고히 해 준 셈이 되었다. 그가 말한 7개 분류체계는 '학문 영역'이나 '연구 분야'라는 층위에서 논의되기보다는 오히려 문화콘텐츠를 대상화하는 다양한 학문적 접근 방식이다. 이들은 문화콘텐츠에 접근하는 7개 분과학문, 즉 철학[이론] 행정학[정책/제도] 문학[사례] 분석 예술학 또는 경영학[기획] 공학[기술] 경제학 또는 경영학[경제/경영] 교육학[교육]이라는 틀과 더 잘 호응한다. 따라서 그의 논의는 문화콘텐츠연구의 연구 대상으로서 문화콘텐츠 자체를 분류했다고 보기는 어려운 측면이 있다.

전충헌·김웅진은 국내 대학과 대학원에서 이뤄지고 있는 문화콘텐츠 교육 영역에 초점을 맞추어 문화콘텐츠 지식체계를 구축하는 방안을 제시한다. 이들은 "문화콘텐츠 지식체계의 비전은 다차원적으로 창출되는 지식을 창조적으로 연결하고 연계하여 의미와 가치를 창출"해야 한다고 말하면서 그 "구조는 창조산업 클러스터[R&D/교육/정책/금융 등] 체계, 인문학, IT, 미디어, 아트, 창조경영 등 심층 지식체계 기반과 콘텐츠 창조 섹터, 콘텐츠 핵심 요소기술과 크리에이티브를 정의하고, 이의 상호 생태적 연관 구조의 기반 위에서 지속 가능한 문화콘텐츠가 창출될 수 있다"[14]고 주장한다. 이 논의는 문화콘텐츠의 지식체계가 상호학문적 기반 위에서 생태계를 구축하는 지식 융합이 이뤄져야 한다는 점을 주장함으로써 문화콘텐츠 지식의 기획과 생산의 층위에서 하나의 방향성을 제시했다는 의미를 갖는다. 앞서 인용한 대로 창조산업 클러스터, 인문학, IT, 미디어, 아트, 창조경영 등은 문화콘텐츠라는 융합형 지식체계가 포괄해야 하는 영역을 제시한 것인데, 이 역시 박상천이나 태지호의 논의와 유사하게 상호학문적 연구를 위한 분과학문 분야를 열거한 것으로 볼 수 있다.

안인자는 문화와 문화콘텐츠산업을 분류하는 원칙을 제시한다. 그는 정책과 산업의 필요에 따른 논의의 필요성을 강조하면서 분류 행위의 개념과 의미를 살펴본다. 더불어 국내외에서 이루어진 문화 또는 문화콘텐츠산업을 분류해 온 여러 사례를 통해 문화콘텐츠산업 분류의 방향성을 제시한다. 그는 결론적으로 문화 분류와 문화콘텐츠산업 분류의 원칙을 "(1) 범주화 체계 (2) 다차원 구조형 분류체계 (3) 유통망, 매체, 장르, 문화영역 구분을 기본 구분 원리로 하며, 활용 목적에 따라 활동의 기능 구분, 공간적 구분, 시간적 구분을 부가적으로 활용 (4) 순환적 특성을 가지는 다목적 기본 도구의 경우 표준화가 필수적 요소"[15]라는 4가지로 요약한다. 그의 논의는 분류 행위에 대한 학문적 이해를 심화하고, 지금까지

---

14 전충헌·김웅진, 위의 글, 43~45쪽.

15 안인자, 위의 글, 21쪽.

수행되어 온 다양한 문화 분류와 문화콘텐츠산업 분류에 대한 경험을 종합해 주고 있다는 점에서 충분한 의미가 있다. 다만, 전반적인 논의가 정책과 산업의 요구에 부응하려는 의도를 나타내고 있어서 기존에 이루어진 문화콘텐츠연구라는 학문적 층위의 논의를 수렴하지 못했다는 점, 논의의 범주가 광의의 개념인 문화와 상대적으로 협의의 개념인 문화콘텐츠산업을 포괄하고 있어 그 초점이 다소 분산되는 경향을 보이는 점, 결론적으로 문화콘텐츠산업 분류의 원칙을 제시하기는 했지만, 연구자 자신이 직접 문화콘텐츠산업을 분류하는 데까지는 이르지 않았다는 점에서는 아쉬움이 남는다.[16]

이와 같은 기존 연구 성과를 통해 알 수 있는 점은 다음과 같다. 첫째, 문화콘텐츠의 분류에 관한 논의는 대부분 형성 중인 학문으로서 문화콘텐츠연구를 어떤 체계로 구조화할지에 관한 문제와 긴밀히 연관돼 있다. 이들은 학문의 체계를 수립하는 과정에서 문화콘텐츠를 대상화하여 그 범주와 분류의 문제를 분명하게 하자

---

16 이 밖에도 이명규는 국립문화의전당 아시아문화정보원에 수집된 문화자원에 대한 분류체계를 제시한다. 그는 문화자원의 범위유형과 분류체계의 3가지 범주지역/시대/주제를 통해 문화자원을 16개 대분류 주제를 제시한다. 그 주제는 역사문화유산[A] 술[B] 의생활[C] 식생활[D] 주생활[E] 정치·행정[F] 사회생활[G] 종교[H] 교육[K] 교통·통신[L] 경제산업·생업[M] 과학기술[N] 군사기술[P] 건강·보건의료[R] 민족·인물[S] 자연[T]이다. 그의 연구는 문화콘텐츠 자체에 대한 분류는 아니지만, 이와 같은 주제 분류의 과정과 결과는 문화콘텐츠를 분류하는데 있어서도 참고할 만한 가치가 있다고 판단된다. 이명규, 「아시아문화정보원의 문화자원 분류체계 연구」, 『한국문헌정보학회지』 제49권 1호, 2015.

는 논의를 수행했다. 그러나 이런 노력은 일종의 '체계에 대한 강박'처럼 보일 정도다. 학문의 체계를 구축하는 주장이 근대적 사고 속에서 계속돼 오기는 했지만, 상호학문적 연구를 추구하는 문화콘텐츠연구가 과연 본질적인 의미에서 체계가 반드시 필요한지는 회의적이다. 만일 우리가 학문의 체계보다 맥락을 강조할 수 있다면 문화콘텐츠연구는 더욱 유연한 방식으로 위치를 잡게 될 수도 있다. 학문의 체계 수립에 대한 주장과 맥락을 추구하자는 주장은 다소 결이 다르다. 연구 대상을 구조적으로 분류하고 체계화하는 일이 문화콘텐츠연구의 제도화라는 필요에 의해 수행되어 왔지만, 우리는 그와 같은 제도화라는 층위보다 문화콘텐츠가 더욱 실천적인 층위에서 그 역할을 수행할 수 있도록 그것을 맥락화할 필요가 있다.

둘째, 문화콘텐츠 분류에 관한 논의는 궁극적으로 세부 분류의 실례까지 제공하지 못하고 있다. 이는 '체계에 대한 강박'의 결과가 결국 그 요구를 충족해 주지 못했음을 드러낸다. 이런 결과가 생겨난 까닭은 문화콘텐츠라는 대상이 여전히 광범위한데다 복잡성을 수반하고 있기 때문이다. 또한 분류의 과정에서 불가피하게 발생할 수밖에 없는 다양한 삼투渗透와 겸류兼類 현상을 말끔하게 설명하기 어려운 이유 때문이기도 하다. 이 문제의 원인을 두고는, 문화콘텐츠연구가 아직 학문적으로 성숙하지 않았다는 방증으로서 이에 대한 학문적 합의가 이뤄질 수 있는 조건이 성숙하지 않은 이유와도 직결돼 있다고 말할 수도 있다. 우리가 이런 사실을 인정하든 그렇지 않든, 그러므로 문화콘텐츠연구를 체계화하는 과제를 강박적으로 수행하기보다는 그 맥락화에 더욱 큰 관심을 둘 필요가 있다.

2 범주와 군집 '분류'의 개념

문화콘텐츠연구는 동시대에 일어나는 현상에 지대한 관심을 갖는다. 그런 관심은 문화콘텐츠연구의 대상으로서 문화콘텐츠의 존재 방식이 동시대성을 강하게 갖고 있을 뿐만 아니라 문화콘텐츠연구의 성격도 동시대적이기 때문에 일어난다. 연구 대상으로서 문화콘텐츠는 동시대적으로 '형성 중'이며, 나아가 학문적 작업으로서 문화콘텐츠연구 역시 발생한 지 얼마 되지 않은 채 동시대적으로 형성 중이다. 따라서 문화콘텐츠연구는 그 성과가 충분히 축적되지 않은 상황이어서 학문적 불안정성이 불가결한 현상으로 초래되고 만다. 연구 성과가 축적되지 않은 채 기존의 분과학문 또는 상호학문적 연구를 인용, 계승, 비판, 초월하지 못하고 연구자 개인이 특정한 개별 연구를 수행하는 당면 과제를 수행해야 하는 상황 속에서 무분별한 '학문적' 시도가 적지 않은 시행착오를 양산하고 있는 측면도 없지 않다.

물론 이런 경향은 문화콘텐츠연구만의 전유물은 아니다. 연구 대상이 동시대적 특성을 갖는 경우, 집합적 성격으로서 해당 학문 연구가 역시 동시대성을 갖게 되는 경우, 유사한 상황을 만들어 낼 수 있다. 문화연구는 문화의 학문적 대상화라는 역사적 흐름에서 문화콘텐츠연구의 직전에 위치한 상호학문적 접근으로서 그런 직접적인 예증이다. 크리스 바커[Chris Barker]와 엠마 제인[Emma A. Jane]은 문화연구의 대표적 연구자인 그레엄 터너[Graeme Turner]가 "동시대 문화연구가 공공의 선을 위한 그 정치적, 윤리적 목적을 가진 운영의 중심 목표를 잃어버렸다고 주장한다"는 말과, 나아가 문화연구를 "창시한 인물 가운데 하나인" 스튜어트 홀[Stuart Hall]조차 "문화연구가 '많은 쓰레기'를 포함하고 있다"고 한 말을 인용한다. "문화연구에 대한 이런 비판들은 적어도 그 내부에서 유래하기 때문에 어느 정도 정당성을 확보하는 듯 보인다."[17] 상황이 이렇게까지 전개된 데에는 여러 원인을 추론하고 논쟁할 수 있겠지만, 무엇보다 문화연구가 20세기 후반에 등장한 동시대적 연구일 뿐만 아니라 그 동시대성으로 인해 문화연구의 "연구 대상인 문화의 의미가 논쟁의 영역"[18]이 되었기 때문이다.

그러므로 형성 중이면서 동시에 여전히 불안정한 학문 행위로서 문화콘텐츠연구가 수행해야 할 선행 과제 가운데 하나는 연구 대상을 설정하는 일이다. 그러나 사실 문화콘텐츠연구의 대상이란 그 명명이 드러내는 바와 같이, 곧 문화콘텐츠에 다름 아니다. 문화콘텐츠연구의 대상을 설정하는 일이란 곧 문화콘텐츠의 개념과 범주를 획정하는 일이기도 하다.[19] 이는 곧 문화콘텐츠의 경계를 확인

---

17 Chris Barker & Emma A. Jane, *Cultural Studies: theory and practice*, SAGE, 2016, 8쪽.

18 Chris Barker & Emma A. Jane, 위의 책, 601쪽.

19 박상천도 관련 논의를 통해 이런 언급을 한 바 있다. 박상천, 위의

하고 그 내부의 구성 요소를 '나누는' 과정이다.

분류는 특정한 학문을 설계하고 "새로운 지식과 방법을 모색"하는 과정에서 필수 불가결한 행위이다. 고등과학원의 '초학제 패러다임-독립연구단'은 일찍이 이 문제에 주목하여, 그 연구 기획의 결과로 『사물의 분류와 지식의 탄생: 동서 사유의 교차와 수렴』『분류와 합류: 새로운 지식과 방법의 모색』이라는 저서를 출판한 바 있다. 이들은 고등과학원이 2012년부터 운영해 온 '초학제 연구프로그램'[20]의 첫 성과다. 김상환·박영선은 두 번째 저서의 「머리말」에서 분류의 학문적 의미를 두고 "분류는 합리적 사고의 모태일 뿐만 아니라 학문 분화의 논리 자체를 지배하는 문제"이며, "분류의 논리에 대한 검토 없이 융합의 논리를 도모한다는 것은 어불성설이"며, "가장 기초적인 수준에서 초학제 연구의 길을 개척할 때는 분류의 문제부터 공략해야" 한다고 밝혔다. "게다가 분류는 가장 초보적인 과학적 행위이므로 모든 학문 분야에서 똑같이 제기되는 주제이고" 나아가 "분류의 문제는 다양한 학문이 만나고 헤어지는 교차로 혹은 섬이라 할 수 있다"고 말하기도 한다.[21]

'분류학'taxonomy은 근대 이후 지식을 체계화하고 구조화하는데

글, 64쪽.

20 김상환·박영선 엮음, 『사물의 분류와 지식의 탄생: 동서 사유의 교차
    와 수렴』, 이학사, 2014, 5쪽.

21 김상환·박영선 엮음, 『분류와 합류: 새로운 지식과 방법의 모색』, 이학
    사, 2014, 7~8쪽.

크게 기여해 왔다. 분류학의 발전으로 인해 세계를 인식하고 그에 따라 새로운 지식을 생산해내는데 많은 도움을 받은 것이 사실이다. 그러나 체계와 구조를 강조하는 분류학은 지식의 대상으로서 세계를 상호 교섭 불가능한 단절적인 방식으로 편성함으로써 오히려 추상적이고 비현실적인 결과를 가져오기도 했다. 최근에는 이런 상황에 대한 반성이자 대안적인 분류 방법으로서 '폭소노미'folksonomy라는 개념이 나타나기도 했다. 폭소노미는 인터넷의 발달과 더불어 주로 검색되는 정보를 전통적인 분류학의 방식이 아니라, 핵심어를 중심으로 분류하는 방법이다. '분류학'이 체계와 구조를 강조했다면, 폭소노미는 자연스러운 집단화를 강조하는 경향을 보인다. 이런 방법론을 통해서 오늘날 우리의 지식 분류 작업이 체계나 구조에서 벗어날 가능성을 발견할 수 있다.[22]

분류와 범주, 군집 등의 개념을 조금 더 정교하게 구분해 볼 수도 있다. 어떤 학문 분야든 자신의 연구 대상에 대한 분류의 과정을 생략하면서 연구를 수행할 수는 없지만, 분류에 관한 연구는 주로 문헌과 정보를 다루는 학문 분야에서 다뤄져 왔다. 이런 연구를 수행해 온 일부 학자는 분류classification의 두 가지 방식을 제시하면서 각각 범주화categorization와 군집화clustering로 구분한다. 이때 범주화는 사전에 정의된supervised 구조를 바탕으로 한 접근법이고, 군집

---

22 이에 관한 논의는 다음을 참조. Ching-Chieh Kiu & Eric Tsui, "TaxoFolk: A hybrid taxonomy-folksonomy structure for knowledge classification and navigation," *Expert Systems with Applications*, Vol.38 No.5, 2011, 6049~6058쪽.

화는 사전에 정의된 지식 구조를 기반으로 하지 않는 접근법을 뜻한다. 다시 말하면 범주화는 사전에 정의된 범주가 있지만, 군집화는 대상의 유사성을 바탕으로 집단을 배열하는 방식이다.[23] 이런 정의에 따르면 범주화는 연역적deductive 분류 방법이고 군집화는 귀납적inductive 분류 방법과 다름 아니다.

한편 분류와 범주를 동일한 층위에서 구분하는 논리도 있다. 이런 논리에 따르면 분류는 "사전에 정해진 일련의 원칙에 따라 정렬되는 개체를 구성하는 과정"이자, 상호 배타적이면서 중첩되지 않는 조작적이고 임의적인 체계로서 '구조적 구분'structural difference으로 정의된다. 반면 범주는 "세계를 여러 방식으로 유사한 독립 집단으로 나누는 과정"으로 간주되고, 그 유사성을 바탕으로 집단화된 결과를 바탕으로 후속 집단을 만들어 나갈 수 있으며, '의미적 구분'semantic difference에 해당한다.[24]

전자와 후자의 설명 방식은 분류, 범주, 군집 등과 같은 용어가 학자에 따라 얼마나 다른 개념으로 사용되는지를 여실히 보여준다. 전자의 '범주' 개념은 후자의 '분류'에 해당하고, 전자의 '군집' 개념은 후자의 '범주'에 상응하기 때문이다. 그러나 용어에 대한 정

23 Heide Brücher, Gerhard Knolmayer, Marc-André Mittermayer, "Document Classification Methods for Organizing Explicit Knowledge," Working Paper(modified version), University of Bern, 2002, 1~2쪽.

24 Elin K. Jacob, "Classification and Categorization: a Difference that makes a difference," *Library Trends* Vol.52 No.3, 2004, 518~522쪽.

의가 서로 다름에도 불구하고 분류 개념을 연역적이면서 구조적인 구분과 귀납적이면서 의미적인 구분으로 나누려고 하는 개념화 과정은 대동소이하다. 이 글은 '분류'를 상위 개념으로 간주하고 '범주'와 '군집'을 하위 개념으로 간주하는 전자의 방식을 따른다. 그 까닭은 우선 '분류' 개념이 학문적으로나 일상적으로 폭넓게 사용되고 있어서 이를 '범주'의 대응 개념으로 볼 때, 혼란을 유발할 개연성이 높기 때문이다. 또한 후자를 따라 '분류'와 '범주'를 대응 개념으로 간주한 이전의 연구에서도 결과적으로는 두 개념을 정밀하게 변별하지 못했기 때문이다.25 이렇게 되면 '분류'라는 개념을 다시 협의와 광의로 구분하면서 정의해야 하는 번거로운 상황이 벌어지고 만다.

이런 논의를 통해 우리는 분류에 관한 몇 가지 전제를 설정할 수 있게 되었다. 첫째, 분류는 종종 '분류체계'라는 용어로 대체되기도 하는데, 반드시 그럴 필요는 없다는 점이다. 즉 연역적이고 구조적인 분류에는 '체계'라는 특성을 강조할 수 있지만, 귀납적이고 의미적, 맥락적인 분류조차 반드시 일관된 체계성을 가져야 할 필요는 없다. 그렇다면 이제 분류 행위와 더불어 찾아오는 일종의 '체계에 대한 강박'에서 자유로울 수 있는 출구가 마련된다. 물론

---

25 대표적인 연구 사례로 안인자는 분류와 범주 개념을 구분한 논의를 수행하고도 자신의 연구를 서술하면서 "본문에서 문화 분류는 범주화에 해당하는 용어이지만 대부분의 문헌에서 분류라 칭하고 있으므로, 범주와 동일한 의미로, 즉 확대된 의미로의 분류를 그대로 사용"한다고 밝힌 바 있다. 안인자, 위의 글, 10쪽.

그렇다고 구조화나 체계화 자체가 전혀 의미 없는 행위라는 주장은 아니다. 구조나 체계는 때때로 우리의 인지 경험을 효과적으로 구성한다. '체계에 대한 강박'에서는 벗어나되, 분류의 기준은 상대적으로 안정성을 가져야 한다.

둘째, "분류 행위에 있어 기준이 중요하다"는 진술은 유연하게 이해될 필요가 있다. '기준'을 강조하는 분류 행위는 체계와 구조를 목표에 두는 범주화 과정일 수 있다. 기준은 즉자적일 수도 있고, 경험되거나 학습된 기준일 수도 있으며, 조작적 기준일 수도 있다. 그러나 어떤 기준을 적용하더라도 그 결과는 행위 주체의 주관적 인식에서 벗어날 수 없다. 예컨대 남성과 여성을 제시하는 사진이 각각 주어졌다고 해 보자. 우리는 이를 곧바로 남성/여성으로 나눌 수 있겠지만, 기준에 따라서는 넥타이를 맨 사람/매지 않은 사람, 치마를 입은 사람/입지 않은 사람, 머리가 긴 사람/짧은 사람 등으로 구분할 수 있다. 이런 다양한 구분을 유도하는 기준 가운데 특정 항목이 가장 우월적 지위를 차지한다고 강변할 수 없다. 따라서 구분의 기준은 "무엇을 위한 분류인가"라는 물음에 더욱 알맞은 답변을 제출할 수 있어야 한다. 그래서 분류의 기준은 언제든 바뀔 수 있으며, 맥락 중심적이어야 한다.

셋째, 분류의 결과 서로 구분된 대상들이 언제나 상호 배타적일 필요는 없다. 즉 체계적인 분류는 상호배타성을 지향하지만, 의미적이고 맥락적인 분류에 따라 구분된 대상들은 그 성격이 삼투되는 상호 교차성을 가질 수 있다. 이런 사실은 겸류 현상을 철저하게 배제하기를 원하는 체계와 구조적 분류의 방식이 갖는 한계를 자연스럽게 극복한다. 체계와 구조를 강조하는 분류 행위도 결과적으로는 부득이한 겸류 현상을 수반하게 되는데, 많은 경우 이러한 현상을 조정하기 위해 인위적인 구조의 조정을 시도하기도 한다. 그러나 이는 분류 행위에 따라 늘 볼 수 있는 결과이기 때문에 자연스럽게 받아들일 필요가 있다.

넷째, 분류는 도구적 행위로 이해돼야 한다. 분류는 대상을 인지하고 설명하는데 편의성을 제공한다. 분류는 대상에 대한 유사성과 차이성을 드러내는 역할을 통해 인지 경험을 단순하게 한다. 따라서 분류를 위한 기준의 설정은 대상에 대한 인지도를 제고할 수 있는 상황이라면 그것이 구조적일 수도 있고 때로는 맥락적일 수도 있다. 나아가 분류는 결국 그 자체가 목적이 아니라 분류라는 도구를 통한 특정한 목적에 도달했을 때는 언제는 그 도구를 해체하면서 새로운 '합류'合流를 구성할 필요가 있다.

3 몇 가지 대안

문화콘텐츠 전체를 구조적 대상으로 인식하고 체계적으로 분류하는 일은 그 복잡성과 광범위성 때문에 결코 쉬운 일이 아니지만, 오히려 불필요한 일일 수도 있다. 이 글은 문화콘텐츠를 일목요연하게, 상호 배제의 원칙에 따라 상부에서 하부, 또는 하부에서 상부에 이르는 분류의 체계를 구조화하는 방법을 염두에 두지 않는다. 다만 문화콘텐츠연구의 대상으로서 문화콘텐츠를 중요한 맥락에 따라 분류하는 시도를 통해 그에 대한 인식을 더욱 명료하게 하려고 한다. 이는 결과적으로 대상으로서의 문화콘텐츠를 인식하고 이해하며, 설명하는 데 도움을 줄 것이다. 이를 위해 분류를 체계나 구조로만 간주하지 않고 삼투와 겸류 현상을 인정하는 전제 위에서, 분류는 범주화와 군집화로 구성된다는 앞선 논의를 원용한다.

일련의 논의를 거쳤음에도 불구하고 우리는 문화콘텐츠의 구체적 분류라는 과제 앞에서 다시 한번 곤란한 상황에 직면한다. 그것은 문화콘텐츠의 편재성遍在性과 관련된다. 문화콘텐츠는 이제 보편적으로 발생하는 현상이 되었다. 21세기 인류의 일상은 문화콘텐츠와 더불어 깨어나고 문화콘텐츠와 더불어 잠든다. 출판, 공연, 전시, 축제, 영화, 방송, 게임, 인터넷 등과 같이 세기를 넘어 향유되는 콘텐츠는 이제 휴대전화를 매개로 하는 강력한 사회관계망SNS과 그에 부속되는 콘텐츠와 더불어 인류의 일상을 잠식했다. 문화콘텐츠의 편재성은 '콘텐츠'라는 용어가 갖는 강한 어휘 번식력에서도 확인할 수 있다. 다양한 용어가 손쉽게 '콘텐츠'라는 말을 수식하면서 새로운 복합 개념을 만들어 내고 있다. 매우 구체적인 지시성을 가지고 있는 경우를 제외하면 수많은 어휘가 '콘텐츠'와 결합할 수 있다. 이에 관해서는 분류의 사례를 살펴보면서 다시 확인하겠지만, 당초에는 어색한 복합어일지라도 짧은 시간 안에 널리 유통되는 경향을 보이기까지 한다. 이렇게 편재하는 대상에 대한 분류 행위가 초래하는 곤란함을 넘어서기 위해서는 여러 측면의 기준을 끌어들일 필요가 있다.

가. 매개체의 성질: 디지털콘텐츠/아날로그콘텐츠

문화콘텐츠 개념은 출현과 더불어 거의 즉시적으로 디지털콘텐츠로 이해되어 왔다. 디지털콘텐츠는 이미 학문적, 산업적, 정책적으로 광범위하게 유통되고 있는데, 사실상 그 개념에 대한 논쟁이나 토론은 거의 찾아보기 어렵다. 이는 디지털콘텐츠라는 개념이 대부분 영역에서 공통적으로 이론의 여지 없이 수용되고 있음을 뜻한다. 이 용어를 가장 분명하게 정의하고 있는 사례는 관련 법률 조항에서 찾아볼 수 있다. 「문화산업기본법」^{법률 제16594호, 2019.11.26., 일부개정}의 제2조 5항에 따르면 "디지털콘텐츠란 부호·문자·도형·색채·음성·음향·이미지 및 영상 등^{이들의 복합체를 포함한다}의 자료 또는 정보로서 그 보존 및 이용의 효용을 높일 수 있도록 디지털 형태로 제작하거나 처리한 것을 말한다"고 정의돼 있다. 이 정의를 따를 경우 디지털콘텐츠는 제작 또는 처리 결과물이 디지털의 형태를 가지고 있어야 한다. 노영희 역시 위의 정의를 비롯한 국내외 용례를 검토한 뒤 디지털콘텐츠를 "유무선 정보통신망에서 유통될 수 있도록 부호·문자·음성·음향·이미지 또는 영상 등으로 표현된 자료 또는 정보로서, 그 보존 및 이용에 있어서 효용을 높일 수 있도록 디지털 방식으로 제작되거나 처리된 콘텐츠"[26]라고 밝힌다. 디지털콘텐츠가 문화콘텐츠의 전망을 구성하는 중요한 영역임은 부인할 수 없

---

26 노영희, 『디지털콘텐츠의 이해』, 건국대출판부, 2006, 16쪽. 노영희는
   이어서 디지털콘텐츠와 아날로그콘텐츠의 비교, 디지털콘텐츠의 유사
   개념인 멀티미디어콘텐츠, 온라인콘텐츠 등의 정의, 디지털콘텐츠의
   특징 및 분류 등에 관해 국내·외 자료를 근거로 자세히 정리했다.

다. 문화콘텐츠는 '콘텐츠'라는 개념이 보여주는 바와 같이 인류 앞에 도래한 새로운 기술의 도움으로 '문화'의 현상과 본질을 바꾸는 작업이라고 간주할 수 있기 때문이다. 그러나 문화콘텐츠를 곧 디지털콘텐츠로만 간주하는 태도는 그것을 역사적으로 단절된 현상으로 받아들이게 한다. 문화콘텐츠는 '콘텐츠'라는 새로움을 발굴하면서 구성되지만, 동시에 역사적으로 존재해 왔던 '문화'에 대한 계승을 통해서만 더욱 풍부한 함의를 구성할 수 있다.

앞서 인용한 바와 같이, 태지호는 "문화콘텐츠를 넓게 해석하면 디지털 기술과는 비교 연관성이 적은 '오프라인' 영역" 즉 "광의의 개념으로서 관광, 지역 축제, 이벤트, 공연, 연극 심지어는 컨벤션 등"도 포함된다고 말하면서도 자신의 연구에서는 "디지털 기술에 근거하여 온라인으로 서비스될 수 있는 문화콘텐츠만을" 다룬다고 선언한다.[27] 그의 언급이 방법론적 선택에 더욱 중점을 두고 있음은 확실하다. 그렇다고 해도 문화콘텐츠를 광의와 협의로 구분하는 관점에 대해서는 동의하기 어렵다. 왜냐하면 오늘날에는 '오프라인' 영역의 콘텐츠, 즉 아날로그콘텐츠와 디지털콘텐츠가 완전히 분리된 형식으로만 존재하는 것이 아니기 때문이다. 수많은 아날로그콘텐츠는 디지털콘텐츠와의 융합으로 완성된다. 예컨대 무대 공연에서 디지털 영상을 활용하는 콘텐츠, 테마파크에서 디지털 음악과 영상을 융합하는 콘텐츠 등과 같은 사례는 비일비재하다. 따라서 이처럼 아날로그콘텐츠와 디지털콘텐츠를 경계로 문화콘텐츠

---

27 태지호, 위의 글, 188쪽.

를 확실하게 분리하는 시도는 무력하다.

또한 우리가 디지털콘텐츠의 사례를 예로 들면서 전자책^{출판콘텐츠} 디지털영화^{영상콘텐츠} 디지털방송^{방송콘텐츠} 디지털게임^{게임콘텐츠} 등을 자주 거론하게 되는데, 이들 콘텐츠의 과거를 돌이켜보면 그 시작은 모두 아날로그콘텐츠였다는 점 또한 중요하다. 다시 말해 디지털콘텐츠만으로 문화콘텐츠를 구성한다면, 전자책 이전 출판콘텐츠의 형식, 디지털영화 이전의 필름콘텐츠의 형식, 디지털방송 이전의 방송콘텐츠의 형식, 디지털게임 이전의 게임콘텐츠의 형식으로서 아날로그콘텐츠에 대해서는 함구하게 되는 결과를 불러오게 될 것이다. 더구나 그중 일부는 현실적으로 아날로그콘텐츠와 디지털콘텐츠가 공존하는 상황이기도 하다. 종이책, 필름영화, 아날로그방송, 아케이드게임, 현장 전시, 무대공연 등을 논의하지 못한다면, 문화콘텐츠의 매우 급진적인 단절이 초래되고 말 것이다.

다만 우리는 디지털과 아날로그라는 구분을 통해 문화콘텐츠가 특정한 매개 형식을 통해 존재하게 되는 형식에 대한 인식을 풍부히 할 수 있다. 이들의 존재 형식은 디지털콘텐츠, 디지털 우위의 아날로그 융합 콘텐츠, 아날로그 우위의 디지털 융합 콘텐츠, 아날로그콘텐츠 등으로 세분할 수 있다. 특히 최근 세계적으로 유행한 전염병의 팬데믹^{pandemic} 상황에서 이전에는 전혀 고려할 수 없었던 공연이나 전시 등 아날로그콘텐츠의 디지털화를 목도하게 되었다. 그러므로 아날로그콘텐츠와 디지털콘텐츠에 대한 분류에 기반을 둔 포괄적 이해의 방식은 그 각각의 특수성을 인정하면서도, 문화콘텐츠의 역사적 연관성을 무시하지 않는 통합적 사고와 맞닿아 있다고 할 수 있다.

나. 스토리 기반 여부: 스토리텔링콘텐츠/비스토리텔링콘텐츠

스토리텔링이라는 개념 또한 문화콘텐츠를 설명하는 중요한 하위 개념 가운데 하나다. 문화콘텐츠 기획과 제작의 결과물로서 '콘텐츠'는 많은 경우에 스토리를 가지고 있다. 또한 스토리텔링은 문화콘텐츠를 효과적으로 제작해 내기 위한 도구로서도 주목받아 왔다. 박상천은 "스토리텔링에 대한 연구는 문화콘텐츠학의 하위 분야에서 중요한 위치를 차지하고 있다"고 말하고, "스토리텔링은 문화콘텐츠의 한 구성 요소이기 때문에 문화콘텐츠를 이루고 있는 다른 요소들과의 관계 속에서 연구하는 '통합적 사고'가 필요하고 심지어는 산업적 차원에서 유통과 판매를 염두에 둔 '전략적 차원'의 접근이 필요하다"고 주장한다.[28] 그의 이런 언급은 박기수의 논의를 인용한 결과로 제시되는데, 박기수는 "스토리텔링은 문화콘텐츠의 필요조건일 뿐, 그 자체로 의미 있는 자족 요소가 아니"며, 이는 "문학에서 스토리텔링이 갖고 있는 탁월한 위치의 자족인 존재로서의 스토리텔링은 문화콘텐츠에서 더 이상 기대할 수 없다는 의미"이자, "문화콘텐츠 스토리텔링이 성공적인 콘텐츠를 생산할 수 있게 하는 중요한 요소임에는 분명하지만, 스토리텔링 역시 하나의 구성 요소에 불과하다는 것"이라고 주장한 바 있다.[29]

---

28 박상천, 위의 글, 66쪽.

29 박기수, 「한국문화콘텐츠학의 현황과 전망」, 『대중서사연구』 제16호,

주지하는 바와 같이 스토리텔링이란 특정한 주동인물protagonist이 특정한 시간과 공간 속에서 특정한 반동인물antagonist과의 관계 속에서 전개되는 갈등을 해결해 나가는 일련의 과정을 다양한 표상과 부가적 요소들로 구성하는 전 과정을 일컫는다. 문화콘텐츠의 개념을 구성하는데 스토리텔링은 핵심적인 하위 개념으로 원용되어 왔다.

그에 대한 논의는 주로 두 가지 방향으로 전개되었다. 하나는 스토리를 이미 가지고 있는 콘텐츠의 스토리텔링을 어떻게 하면 더욱 정교하고 드라마틱하게 구성할 것인가 하는 이론적 또는 실천적 방향이며, 다른 하나는 비스토리텔링콘텐츠에 어떻게 스토리텔링의 요소를 부가할 것인가 하는 방향이다. 예컨대 스토리텔링에 관한 다양한 이론적 논의들은 물론 전자에 포함된다. 이 과정에서 인류 역사가 남겨준 수많은 스토리텔링콘텐츠에 대한 역사적 계승의 문제 또한 중요한 논의 과제 가운데 하나가 되었다. 또한 역사 교육을 위해 스토리텔링을 접목하려는 시도가 전자에 해당한다면, 수학 교육을 위해 스토리텔링을 원용하려는 시도는 후자에 해당한다. 이런 방향들은 교육적 목적의 발상이기도 하지만, 궁극적으로 따져보면 그 이면에는 이른바 '킬러콘텐츠'에 대한 욕망이 자리 잡고 있다. 다시 말하면, 어떻게 하면 수용자에게 더욱 잘 수용될 수 있을지를 중요한 의제로 설정한 결과였다. 이는 문화콘텐츠는 대중적이어야 한다는 기본 개념에 충실한 결과였다. 성공적인 대중

2006, 23쪽.

화를 통해서 문화콘텐츠의 산업적, 사회적, 문화적 위상을 확보하려는 의도가 담겨 있는 것이다.

그러나 스토리텔링이 문화콘텐츠를 구성하는 전가의 보도는 아니다. 문화콘텐츠의 다양한 사례는 앞서 말한 바와 같은 명료한 스토리텔링을 기반으로 하지 않는 경우들을 보여준다. 예컨대 서정성이나 추상성을 바탕으로 하는 예술 기반의 콘텐츠, 인물과 사건이 존재하지 않는 게임콘텐츠, 모자이크 방식으로 구성되면서 각 영역이 일관된 스토리로 연결되지 않는 축제콘텐츠나 테마파크콘텐츠 등이 모두 그런 경우다. 따라서 우리는 문화콘텐츠를 설명하는 과정에서 스토리텔링에 대한 과도한 집중을 벗어날 필요가 있다. 스토리텔링이 문화콘텐츠를 구원할 것이라는 신화로부터 탈피하여, 문화콘텐츠는 스토리텔링과 비스토리텔링이 다양한 방식으로 교섭할 수 있는 '각축의 장'임을 이해하고 이러한 교섭과 각축을 더욱 잘 설명하는 일에 관심을 가져야 한다.

다. 향유자의 감각:
시각콘텐츠/청각콘텐츠/촉각콘텐츠/미각콘텐츠/후각콘텐츠

문화콘텐츠는 기획과 제작의 결과물이기는 하지만, 수용자에 의해 향유되지 않으면, 그 의미는 반감된다. 수용자가 어떤 감각을 통해서 기획, 제작된 콘텐츠를 향유하느냐에 따라서도 중요한 분류가 수행될 수 있다.

수용자의 감각에 따른 분류는 곧 시각콘텐츠, 청각콘텐츠, 촉각콘텐츠, 미각콘텐츠, 후각콘텐츠와 다름 아니다. 단일감각콘텐츠는 여러 영역에서 여전히 활발하게 생산, 유통되고 있다. 예컨대 회화나 조각, 디자인 등과 같은 미술콘텐츠는 시각콘텐츠로서 위상을 확고히 가지고 있다. 라디오방송이나 팟 캐스트$^{pod\ cast}$ 등과 같은 오디오콘텐츠는 청각콘텐츠의 중요성을 여실히 보여주고 있다. 최근에는 전통적인 단일감각콘텐츠가 다른 감각을 융합하려는 시도도 이어지고 있다. 출판콘텐츠는 대체로 수용자의 시각을 통해 향유되는 콘텐츠로 이해되었으나 이른바 오디오북이라는 새로운 형태의 출판콘텐츠가 등장하면서 청각콘텐츠로서의 가능성을 타진하고 있다. 물론 단일감각콘텐츠보다 더욱 흔하게 찾아볼 수 있는 향유의 형식은 대체로 복합감각콘텐츠로 구성된다. 대다수 영상콘텐츠는 시각·청각콘텐츠이며, 많은 음식콘텐츠는 시각·미각·후각콘텐츠이고, 적지 않은 게임콘텐츠는 시각·청각·촉각콘텐츠라고 분류할 수 있다. 이러한 복합감각콘텐츠 또한 최근의 기술적 변화를 통해 상식적으로 여겨져 왔던 특정 감각의 요소를 줄이는 대신, 상대적으로 약한 감각으로 여겨져 왔던 요소를 강화하려는 추세를 보이기도 한다. 예컨대 영상콘텐츠가 게임콘텐츠가 증강현실^{AR}이나 가상현실^{VR}을 활용하려는 시도는 촉각콘텐츠로서의 요소를 강화하려는 노력이다.

이처럼 오늘날 문화콘텐츠는 전통적인 방식의 단일 감각을 유지하려는 방향과 수용자의 향유 감각을 복합적으로 활용할 수 있도록 하려는 방향이 모두 존재한다. 물론 대체적인 추세는 후자 쪽으로 기울어져 있는 것이 사실이다. 그러한 방향이 더욱 강화할 수 있는 기반은 기술의 발달이다. 문화기술의 급격한 발달은 수용자의 향유 감각을 지속적으로 복합화함으로써 콘텐츠에 대한 선택의 기준을 만들어 내고 있다.

이렇게 감각을 기준으로 삼는 분류는 모두 콘텐츠에 대한 직접 '체험'이라는 맥락을 강조한다. 이는 수용자에 의해 직접 체험되지 않는 콘텐츠, 즉 향유될 수 없는 콘텐츠는 존재 의미가 반감될 수밖에 없다는 인식에 기반을 둔다. 특히 복합감각콘텐츠의 경우에는 그런 인식이 더욱 강화된 산물이다. 그럼에도 이때 체험이 곧 '몰입'과 동의어인가 하는 문제는 또 다른 논의가 필요하다.

시각콘텐츠, 시각·청각콘텐츠, 시각·청각·촉각콘텐츠 등과 같은 용어는 매우 상식적인 분류임에도 불구하고 이런 개념이 문화콘텐츠연구에서 활발하게 사용되지 않는 까닭은 그것이 문화콘텐츠의 기획과 생산이라는 과정에 주로 집중하면서 수용과 향유, 수용자의 체험과 몰입 등에 대한 의제를 다루는 경향이 상대적으로 열세에 머물러 있었기 때문이다. 그러므로 문화콘텐츠연구는 이제 콘텐츠 수용자와 그 향유 행위에 대한 더욱 집중적인 관심을 통해 새로운 성과를 창조해야 한다. 그런 성과가 궁극적으로 기획과 생산의 논의에도 도움을 주게 될 것이다.

라. 기획·생산의 과정 및 결과: 목적콘텐츠/도구콘텐츠/주제콘텐츠

문화콘텐츠를 기획하고 생산하는 과정과 결과에 따른 기획과 생산의 과정에서도 그 분류는 더욱 정교해질 필요가 있다. 앞서 말한 바와 같이 '콘텐츠'는 어휘 번식력이 매우 강해서 다양한 복합어를 창출하고 있다. 이에 따라 콘텐츠와 결합된 복합어들을 귀납적으로 조사함으로써 군집화하는 시도도 의미가 있을 것이다. 이런 구상을 바탕으로 지금까지 문화콘텐츠에 관한 연구 성과가 보여주는 '콘텐츠'의 복합 용어를 조사해 볼 수 있다. '콘텐츠'는 이미 일상용어로도 자리 잡고 있지만, 논의를 집중하기 위하여 학계에서 주로 사용하는 복합어로 조사를 한정하는 방법인 것이다. 이를 위해 국내의 대표적인 문화콘텐츠 관련 2개의 학술지를 조사했다. 즉 『글로벌문화콘텐츠』[1호~43호]와 『인문콘텐츠』[1호~56호]의 학술논문의 제목을 전수 조사하여 '콘텐츠'의 복합어를 조사했다. 전체 1,121 건의 논문 가운데 '콘텐츠'의 복합어는 다음과 같이 60건으로 나타났다.[30]

강무콘텐츠, 게임콘텐츠, 공연콘텐츠, 관광콘텐츠, 광고콘텐츠, 교육문화콘텐츠, 글로컬콘텐츠, 글로컬문화콘텐츠, 도시인문콘텐츠, 드라마콘텐츠, 디지털콘텐츠, 디지털문화콘텐츠, 대중문화콘텐츠, 멀티미디어콘텐츠, 메타버스콘텐츠, 모바일콘텐츠, 문학콘텐츠, 문화공간콘텐츠, 문화관광콘텐츠, 문화원형콘텐츠, 문화유산콘텐츠, 문화콘텐츠, 미디어콘텐츠, 민족문화콘텐츠, 방송콘텐츠, 복합문화공간콘텐츠, 블로그콘텐츠, 소셜미디어콘텐츠, 스마트콘텐츠, 스포츠콘텐츠, 아이돌콘텐츠, 양방향콘텐츠, 역사콘텐츠, 역사문화콘텐츠, 영미문학콘텐츠, 영상콘텐츠, 영화콘텐츠, 온라인기반콘텐츠, 위키콘텐츠, 융합형 콘텐

---

30 『글로벌문화콘텐츠』는 글로벌문화콘텐츠학회가 발간하며, 2020년 5월까지 43호가 발간됐다. 이 기간 게재된 전체 논문은 411편이다. 『인문콘텐츠』는 인문콘텐츠학회가 발간하며, 2020년 3월까지 56호가 발간됐다. 이 기간 게재된 전체 논문은 710편이다.

츠, 인문콘텐츠, 장례문화콘텐츠, 전시콘텐츠, 전자책콘텐츠, 전쟁안보문화콘텐츠, 전통문화콘텐츠, 증강현실콘텐츠, 지식콘텐츠, 지역문화콘텐츠, 참여적 콘텐츠, 창작소재콘텐츠, 체험콘텐츠, 축제콘텐츠, 킬러콘텐츠, 테마파크콘텐츠, 트랜스미디어콘텐츠, 팬덤콘텐츠, 한국콘텐츠, 한류콘텐츠, 향토문화콘텐츠

위와 같은 용어는 몇 가지 중요한 집단으로 분류할 수 있다. 이러한 문화콘텐츠의 기획과 생산이라는 과정과 결과라는 기준을 적용할 때 가능하다. 즉 '콘텐츠'를 수식하는 용어가 갖는 성격에 따라서 이를 군집화하는 방식인데, 어떤 용어는 콘텐츠가 기획, 생산되는 목적을 의미하고, 어떤 용어는 콘텐츠의 기획, 생산 과정에서의 도구를 의미하며, 어떤 용어는 콘텐츠가 다루고 있는 주제를 의미한다. 우리는 이를 문화콘텐츠의 구체적이고 실제적인 사례라고 인정하면서 하위 콘텐츠들의 상위 개념을 부여하여 '목적콘텐츠' '도구콘텐츠' '주제콘텐츠'라고 부를 수 있다.

목적콘텐츠란 콘텐츠가 기획, 생산되는 목적을 설정하는 방식을 표현한다. 위의 사례에 따르면 관광콘텐츠, 광고콘텐츠, 교육문화콘텐츠, 체험콘텐츠 등이 이에 해당한다. 이뿐 아니라 교육콘텐츠, 오락콘텐츠, 의료콘텐츠 등은 모두 콘텐츠의 존재 목적을 설명하는 용어이자 개념이 된다. 도구콘텐츠란 콘텐츠가 기획, 생산되는 과정에서 활용하는 도구가 무엇인지를 표현한다. 공연콘텐츠, 디지털콘텐츠, 멀티미디어콘텐츠, 모바일콘텐츠, 문학콘텐츠, 문화공간콘텐츠, 미디어콘텐츠, 방송콘텐츠, 복합문화공간콘텐츠, 블로그콘텐

츠, 소셜미디어콘텐츠, 양방향콘텐츠, 영상콘텐츠, 영화콘텐츠, 온라인기반콘텐츠, 전시콘텐츠, 전자책콘텐츠, 증강현실콘텐츠, 축제콘텐츠, 테마파크콘텐츠, 트랜스미디어콘텐츠 등은 모두 도구콘텐츠에 해당한다. 도구콘텐츠는 콘텐츠의 매개물을 지칭하는 경우가 많기 때문에 다시 논의할 장르콘텐츠와 상당 부분 중복되기도 한다. 주제콘텐츠는 콘텐츠가 다루고 있는 주제와 내용이 무엇인지를 표현한다. 도시인문콘텐츠, 문학콘텐츠, 문화원형콘텐츠, 문화유산콘텐츠, 민족문화콘텐츠, 스포츠콘텐츠, 아이돌콘텐츠, 역사콘텐츠, 역사문화콘텐츠, 영미문학콘텐츠, 인문콘텐츠, 장례문화콘텐츠, 전쟁안보문화콘텐츠, 전통문화콘텐츠, 지식콘텐츠, 지역문화콘텐츠, 창작소재콘텐츠, 팬덤콘텐츠, 한국콘텐츠, 한류콘텐츠, 향토문화콘텐츠 등은 모두 이에 해당한다.

그러므로 우리는 문화콘텐츠를 기획하고 생산하는 과정뿐만 아니라, 이를 분석하고 비평하는 상황에서도 대상으로서의 문화콘텐츠가 갖는 목적성, 도구성, 주제성을 확실하게 할 필요가 있다. 이러한 틀을 활용한다면, 문화콘텐츠 기획, 생산, 분석, 비평의 전반에 적지 않은 도움을 얻을 수 있을 것이다.

마. 장르콘텐츠

주지하는 바와 같이 장르genre란 고정적인 형식 또는 양식을 일컫는 개념이다. 이때 고정적인 형식이란 관습으로 정착되어 기대하는 바의 형식으로 매개, 유통되는 상황을 말한다. 전통적으로 장르는 대체로 "분류 집단을 낳게 되는 유행이나 종류의 범주화"로서

"유사성과 차이의 유형을 통해 일관성과 신뢰를 낳게 하는 서사 과정을 규제한다"[31]고 이해된다. 즉 장르는 서사체 내부의 일관된 관습으로 여겨져 온 것이다. 그러나 문화콘텐츠를 분류할 때의 장르는 이보다는 더 상위 개념으로 활용할 필요가 있다.

문화콘텐츠에 대한 분류 행위에서 장르콘텐츠 개념을 활용하는 것은 가장 쉬운 방식 가운데 하나다. 장르콘텐츠는 기본적으로 출판콘텐츠, 영상콘텐츠, 공연콘텐츠, 전시콘텐츠, 게임콘텐츠, 축제콘텐츠, 테마파크콘텐츠 등으로 구분될 수 있다. 이들은 문화콘텐츠를 대표하는 7대 장르라고 말할 수 있는데, 모두 특정한 도구콘텐츠로서 존재하고 있다. 출판, 영상, 공연, 전시, 게임, 축제, 테마파크는 앞서 말한 바와 같이 고정적인 형식, 즉 관습으로 정착되어 기대하는 바의 형식으로 매개, 유통되기 때문이다.

장르콘텐츠의 자격 여부를 둘러싸고 다른 질문이 가능하다. 음악콘텐츠, 미술콘텐츠, 무용콘텐츠, 건축콘텐츠, 연극콘텐츠 등 전통적인 예술의 장르로 인식돼 온 사례들은 독립적인 장르콘텐츠가 될 수 없을까? 불가능하다는 것이 그에 대한 답변이다. 이들은 모두 특정한 장르콘텐츠에 의해 매개되기 때문이다. 이들은 모두 7대 장르콘텐츠의 하위 범주에 속할 수밖에 없다. 왜냐하면, 이들은 고정적인 형식으로 매개, 유통되지 않기 때문이다. 예컨대 음악콘텐츠는 독립적으로 매개, 유통되는 게 아니라 특정한 장르콘텐츠의

---

31 Chris Barker, 이경숙·장영희 옮김, 『문화연구사전』, 커뮤니케이션북스, 2009, 264쪽.

형식을 빌려서 매개된다. 그것은 상황에 따라 영상콘텐츠의 일부가 될 수도 있고, 공연콘텐츠의 일부가 될 수도 있으며, 전시콘텐츠의 일부가 될 수도 있다. 음원 스트리밍 서비스 또한 근본적인 의미에서는 디지털미디어를 매개로 하는 공연콘텐츠의 성격을 갖고 있다. 그러므로 하위 장르콘텐츠는 특정한 매개 콘텐츠를 통해 구현될 수밖에 없다.

이러한 장르콘텐츠의 분류는 표층적 접근은 가능할지 몰라도 오늘날 이들 사이에 무수하게 일어나는 상호작용, 즉 융합 또는 복합 현상을 설명하기는 어려워진다. 예컨대 공연콘텐츠는 단지 공연이라는 순수한 행위로만 이뤄지는 것이 아니라, 영상콘텐츠와 축제콘텐츠의 성격이 융합되기도 한다. 출판콘텐츠 역시 영상콘텐츠와 게임콘텐츠 등이 융합될 수 있다. 이런 사례들은 무수하다. 그러므로 장르콘텐츠는 앞서 말한 바와 같이 부득이한 삼투와 겸류 현상을 수반한다. 그럼에도 우리는 다양한 문화콘텐츠가 매개되는 방식이라는 맥락이 필요하다면 그 필요성을 적극 활용할 수 있을 것이다.

세계를 분류하는 관습은 근대 이후 지속적으로 인류와 학문을 현혹해 왔다. 학자들은 분류를 통해 세계를 완벽하게 인식하고 설명할 수 있다고 믿어왔다. 그러나 주지하는 바와 같이 세계를 대상으로 하는 분류는 완벽한 체계와 구조를 이룰 수 없으며, 언제나 삼투, 겸류, 결락 현상을 동반했다. 그러므로 어떠한 분류도 전칭 판단은 금물일 수밖에 없다. 곧 "모든 A는 B에 속한다" 등과 같은 진술은 조심스러워야만 한다. 문화콘텐츠 분류의 난점은 또한 '콘텐츠'라는 개념의 모호성, 혹은 편재성으로 인한 다른 개념과의 결합 가능성, 이에 따르는 막강한 조어력을 고려해야 한다. 그럼에도 분류 행위는 '형성 중'인 학문적 분야로서 문화콘텐츠연구의 위상을 공고하게 하려는 노력의 일환이다. 이러한 논의가 더욱 활발하게 전개되어야 할 제도적, 현실적 필요도 상존한다. 그러므로 우리는 체계와 구조에 대한 강박을 벗어나서, 다시 말하면 문화콘텐츠의 체계 구성과 분류는 도구적이며 가변적이라는 사실을 인정하면서, 맥락에 따른 분류로서 범주화와 군집화가 하나의 대안으로 제시될 수 있다는 점을 숙고할 필요가 있다. 이런 시도가 문화콘텐츠연구의 학문적 가능성을 구체적으로 실현하는데 도움이 되기를 바란다.

제4장

문화콘텐츠의 비평 실천

■■■■

　문화콘텐츠의 순환 구조 안에서 '비평'의 위치를 살펴보는 일은 몇 가지 절차를 거쳐야 한다. 우선 문화콘텐츠라는 현상의 등장과 더불어 출현한 '콘텐츠' 개념이 역사적 필연성을 가지고 있음을 밝혀야 한다. '콘텐츠'는 20세기 문학예술을 논의해 왔던 담론의 확장 결과에 따라 출현한 용어이자 개념으로 간주될 수 있다. '콘텐츠'는 작품work 텍스트text 상호텍스트성intertextuality 파라텍스트para-text 등의 개념에 뒤이어 나타난 용어다. 20세기 문학예술 비평의 관점을 텍스트주의textualisim와 맥락주의contextualism로 정리할 때, 콘텐츠는 둘을 아우를 수 있는 개념으로서 텍스트와 콘텍스트의 복합체로 인식되어야 한다. 이를 전제로 문화콘텐츠의 순환 구조 속에서 비평이 필요함을 역설해야 한다. 문화콘텐츠 비평은 기존의 비평 대상과 방법, 관점을 포괄하면서 이를 더욱 확장하는 방향으로 나갈 필요가 있다. 특히 20세기의 맥락에서 소외됐던 영역에 대한 비평 범위의 확장, 즉 기술비평, 정책비평, 산업비평 등이 문화콘텐츠 비평의 이름으로 수행돼야 한다. 비평의 확장은 콘텐츠 액티비즘으로서 가능성을 보여준다. 문화콘텐츠비평이 콘텐츠 액티비즘으로서 구성되기 위해서는 동시대성, 문제의식과 현실 진단, 주체위치의 설정, 제한된 목표의 설정이 필요하다. 그 방법은 트랜스미디어 비평으로 구현될 수 있다. 이를 통해 문화콘텐츠 비평은 맥락 속에 놓인 의도는 드러내고, 텍스트의 의미를 구성하는 작업을 수행해야 한다.

문화콘텐츠 분야에 종사한다는 뜻은 콘텐츠 기획자, 콘텐츠 제작자, 콘텐츠 노동자, 콘텐츠 이론가 또는 비평가로서 살아간다는 말이다. 그중 이론과 비평 행위는 주로 이론 생산 주체 또는 비평 주체가 새로운 지식을 생산하는 일과 치환될 수 있다. 새로운 지식의 생산은 주체에게 있어 이론을 구성하는 일이면서 동시에 실천적인 행위이다.

실천으로서의 지식 생산은 전통적으로 글쓰기와 말하기라는 두 가지 형식으로 이뤄져 왔다. 글쓰기는 학술논문이나 단행본의 형식으로, 말하기는 강연, 발표, 토론 등의 형식으로 수행되었다. 문화콘텐츠 비평을 아우르는 이론과 실천의 생산은 오늘날 문화콘텐츠가 존재하는 방식을 구성할 때 매우 중요한 과제가 되었다. 그것은 문화콘텐츠를 둘러싼 담론이 대체로 '산업을 위한 복무'로 구성되고 있는 현실 때문이다.

이런 상황에 대하여, 우선 '콘텐츠' 개념이 출현하게 된 역사적 필연성을 살펴보고, 문화콘텐츠 비평의 필요성을 역설하며, 나아가 문화콘텐츠 비평이 실천과 행위로서의 '액티비즘' 역할을 담당할 수 있는지에 관한 논의의 필요성이 드러난다. 이를 통해 비평이 문화콘텐츠의 순환 구조 속에서 그 역할이 더욱 의미 있는 방식으로 구성되고, 또한 실제적인 의제를 제기함으로써 그 순환 구조의 안과 밖을 연결하면서 방향과 지향을 설정하고, 궁극적으로는 특정한 문제를 해결할 수 있는 실천적 지점까지 다다를 수 있기를 바란다.

1 '콘텐츠' 개념 출현의 필연성

'콘텐츠'라는 용어는 1990년대 후반 일본에서 유입된 것으로 보인다. 이 용어는 국내 언론이 먼저 소개했다. 예컨대 『한겨레』는 1998년 1월 1일, NIS연구소와의 공동 제안 "기술만이 살길이다"라는 제하의 기사에서 김영호 경북대 교수의 발언을 다음과 같이 인용한다.

한국의 기술혁신주체는 기술혁신주체로서의 성격을 갖추지 못했을 뿐 아니라 각기 따로따로 놀고 있다. 산·학·관이 따로따로 놀고, 정부의 경우에도 과학기술처 통상산업부 정보통신부 교육부 등이 제각각이다. 예컨대 멀티미디어산업의 경우 컴퓨터계는 통상산업부 소관, 통신계는 정통부 소관이고 방송계는 공보처 소관, 예술문화 등의 **콘텐츠계(내용물)**는 문화체육부 소관, 교육훈련계는 교육부 소관이다.

업무의 경계가 파괴되고 있는 시대에 부처 이기주의에 따라 제각기 놀고 있는 상황에서 멀티미디어산업의 발전은 기대하기도 어렵다.[1]

그는 비록 '콘텐츠계'라는 용어를 사용했지만 이를 '내용물'이라고 해석하면서 예술문화에 속하는 멀티미디어산업의 한 계열로 이해한다. 이런 이해에 따라 '콘텐츠'를 예술문화와 멀티미디어산업이라는 두 영역에 위치하게 하는 방식으로 개념화를 시도한다. 그렇다 해도 당시 '콘텐츠'에 대한 이해는 매우 추상적인 수준에 머물러 있었다. 이후 '콘텐츠'라는 용어는 필요에 따라 소환되면서 그 개념을 충족해 왔다.

『매일경제』의 1998년 8월 12일 기획 기사, "지식 정부로 거듭난다" 중 캐나다 사례에 대한 보도에는 "'문화의 컨텐츠'CONTENTS 즉, 책 영화 음악 소프트웨어 기술 등 그 사회 및 문화가 담고 있는 지적 산물"이라는 설명이 덧붙여졌다.[2] 역시 『매일경제』의 1999년 4월 12일 기획 기사, "우리문화로 일본 인터넷 공략: '코리안 온라인'이 뜬다"에서는 '문화콘텐츠' '멀티미디어컨텐츠' '엔

---

1 김영호, 「기술만이 살길이다」, 『한겨레』, 1998.1.1. 강조는 인용자.

2 정혁훈, 「지식정부로 거듭난다」, 『매일경제』, 1998.8.12. 해당 기사의 배경은 이렇다. "정부 자문기관인 '정보고속도로 자문위원회'IHAC는 지난해 9월 '디지털 세계에 대한 준비'Preparing Canada for Digital World라는 정보화 보고서를 펴냈다. … 이 보고서는 이와 함께 사회 경제 문화적 혁명이 세계를 변화시키고 있다는 점에 주목했다. 새로운 게임이 시작된 것이며 과거의 룰法則이 더 이상 적용되지 않는다는 점을 분명히 한 것이다. 보고서는 정보 인프라, 인터넷, 경제 성장, 일자리 창출, 평생교육 등 다양한 주제에 관해 방대한 분량의 실천과제를 제시했다."

터테인먼트컨텐츠' 같은 용어가 등장했다.3 이 기사는 문화콘텐츠라는 용어를 사용하면서 멀티미디어컨텐츠, 엔터테인먼트, 트래블맵, 게임파크 등을 언급함으로써 이를 진일보하게 개념화한다.

주지하는 바와 같이, 2000년 이후에는 시장과 산업의 이런 움직임에 적극적으로 호응한 정부가 나서서 관련 정책을 수립하기 시작했다. 2001년 '한국문화콘텐츠진흥원' 설립은 상징적 사건이었다. 당시 김대중 정부는 문화산업 진흥, 벤처산업 진흥 정책 수립 및 집행의 결과로 한국문화콘텐츠진흥원을 설립했다.4 뒤이어 시작된 대학에서의 문화콘텐츠 교육과 학문 공동체의 형성은 이 용어의 보편화에 영향을 주었다.5 특히 앞서 살펴본 바대로 2002년 인

3　김주영, 「우리문화로 일본 인터넷 공략: '코리안 온라인'이 뜬다」, 『매일경제』 1999.4.12. "바야흐로 한일문화 교류 시대가 다가왔다. 득보다는 실이 더 많을 것 같았던 일본문화개방. 그런데 우리의 문화콘텐츠로 도리어 일본 시장을 공략하고 있는 선구적인 업체가 있다. 설립한 지 2년이 채 안 된 멀티미디어컨텐츠 서비스업체 ZIO인터랙티브가 그 장본인. 이 회사는 일본 NEC사의 웹 기반 PC통신서비스인 '빅그로브'BIGLOBE에 해외업체로는 처음으로 한국 엔터테인먼트컨텐츠를 공급하고 있다. 지난 1월부터 우리 영화, 가요, 여행 관련 정보는 물론 국내에서 개발된 다양한 온라인 게임들을 일본어로 소개하는 '코리안 온라인'KOL 인터넷 서비스를 하고 있는 것."

4　현재 한국콘텐츠진흥원은 이명박 정부가 관련 업무의 효율적 집행을 위해 한국문화콘텐츠진흥원2001~2009 한국방송영상산업진흥원1989~2009 한국게임산업진흥원1999~2009 3개 기관이 합병한 기관이다. 한국콘텐츠진흥원 홈페이지 참고. https://www.kocca.kr

5　한국외국어대학교 대학원은 2002년에 문화콘텐츠학과 석사과정, 2006년에 박사과정을 각각 개설했다.

문콘텐츠학회의 설립은 학자들의 집단 토론장을 형성하고 학술지 『인문콘텐츠』 발간을 통해 문화콘텐츠연구의 학문적 논의를 전개해 왔다.

따라서 '콘텐츠'라는 용어는 1990년대 말에 이미 출현했으나 당시는 '콘텐츠'가 정확히 무엇을 의미하는지 불분명했으며, 대체로 문화콘텐츠, 멀티미디어, 엔터테인먼트, 인터넷, 온라인 등의 용어와 함께 사용됐다. 2000년대 초반 정책, 교육, 학계의 관심이 급증하고 관련 기관, 단체 등이 설립되면서 문화콘텐츠에 관한 학문적, 사회적 논의가 시작됐다.

'콘텐츠'라는 용어는 일본에서 시작된 것으로 추정되나, 한국에 유입되어 개념화하면서 정착과 유포에 성공했다. 새로운 용어가 이런 과정을 거쳐 개념화에 성공할 수 있었던 까닭은 그것이 한편으로는 '형성 중'인 개념으로서의 유동성과 개방성을 유지하면서 다른 한편으로는 개념의 합리성이라는 요구를 충족해 냈기 때문이다. 그러나 가장 중요하고 핵심적인 이유는 '문화콘텐츠'가 시대적 필요에 부응하는 용어였다는 점 때문이다.

'콘텐츠' 용어의 출현에는 역사적 필연성이 있다. 콘텐츠가 주로 다루는 장르, 예컨대 소설, 영화, 공연 등은 20세기에는 대표적인 예술 텍스트로 간주됐다. 문화콘텐츠라는 용어가 출현했을 때, 그 개념화 과정에서 '스토리텔링'이 이를 설명하기 위한 강력한 하위 개념으로 동원된 까닭도 바로 이 때문이다. 따라서 스토리^{서사} 텍스트를 중심으로 예술을 설명해 오던 기존의 학문적 경향 속에서 '콘텐츠' 개념은 그 확장의 필요를 충족해 주는 역할을 부여받았

다고 할 수 있다.[6]

　이런 상황에서 '콘텐츠' 개념이 출현할 수밖에 없었던 역사적 흐름은 예술의 확장, 예술과 산업, 예술과 기술의 복합 현상과 이런 현상을 설명해야 할 필요성이 만들어 낸 필연성이 있었기 때문이다. 이는 근대 이래 인간의 예술 행위의 결과물에 대한 지칭이 변화해 오는 과정을 살펴보면 더욱 분명해진다.

　예술을 심미 추구를 위한 고도의 독립적인 인간의 행위로 간주하기 시작한 이래, 그 결과물은 '작품'work으로 불려 왔다.[7] 이때 '작품'은 '작가'가 창작주체로서 창작해 낸 산물이며, 작품의 의미는 작가의 의도에서 비롯된다고 여겨졌다. 예컨대 19세기 말부터 20세기 초까지 '작품'의 의미를 밝히고자 했던 비평가들의 노력은 전기비평biographical criticism으로 귀결됐다. 주지하는 바와 같이 전기비평은 작품의 의미를 밝히는 과정에서 작가의 생활, 습관, 사상 등이 작품에 어떻게 반영됐는지를 가장 중요한 근거로 삼는다. 이런 '의미 추출'의 방식은 지금은 비평적으로 이미 낡은 유물이 되고 말았지만, 우리의 사고 체계 속에는 여전히 강력한 잔영을 남겨두고 있다. 소설을 읽거나 영화를 보고 나서 흔히 "작가는 무슨 생

6　여기서 '문화콘텐츠'와 '콘텐츠'라는 용어를 혼용하는 까닭은 '문화콘텐츠'를 '문화'와 '콘텐츠'의 복합 개념이라고 간주할 때, 그 중요하면서도 새로운 구성 부분으로서 '콘텐츠'에 더욱 주목하고자 하기 때문이다. 근대적 의미의 '문화' 개념에 대해서는 많은 학문적 논의가 있어 왔으나, '콘텐츠'는 매우 새로운 개념이기 때문이기도 하다.

7　이하 내용에 대한 초보적 구상은 내가 기초한 '한국문화콘텐츠비평협회'의 「창립 선언문」2019.2.22.에서 밝힌 바 있다.

각으로 이런 소설을 썼을까?" "감독이 추구하고자 하는 바는 무엇일까?"와 같은 질문을 던질 때, 우리는 여전히 전기비평의 영향에서 자유롭지 않은 상태에 놓이게 된다. 물론 전기비평은 당시 작품의 의미를 인상에 근거하여 비평을 수행하던 인상비평에 대한 도전으로서 '과학성'을 주장하면서 등장한 방법이었기에 그 역사적 의미를 무시할 수 없는 것은 분명하다. 그럼에도 신과도 같은 작가의 영향력 아래서만 '작품'의 의미가 주어진다는 인식은 20세기 전반기의 분명한 한계를 노정하고 있었다.

'텍스트'text에 대한 주목은 작가의 의도에 대한 완전한 반기로서 시작됐다. 프랑스 비평가 롤랑 바르트Roland Barthes는 1968년 이른바 "작가저자의 죽음"[8]이라는 혁명적인 선언을 내놓았다. 이제 '작품'의 의미는 '텍스트'가 생산해 낸다는 인식에 이르게 됐다. 그럼으로 '작가'라는 개념과 긴밀하게 얽혀 있던 '작품'이라는 개념보다는 분석 가능한 대상으로서의 '텍스트'라는 개념이 훨씬 더 힘을 얻게 됐다. 이런 경향은 비평에서의 기호학과 구조주의를 발전시키면서 자리 잡을 수 있었다.

텍스트를 발견하고 난 뒤, 비평계는 다시 '독자'reader를 발견하기에 이르렀다. '텍스트'의 의미는 스스로 생산되는 게 아니라 그것을 받아들이는 주체, 수용주체의 구성에 의해 다시 만들어진다는 주장이다. 예의 롤랑 바르트는 물론이고 문화연구자인 스튜어트 홀

---

8 Roland Barthes, "La mort de l'auteur," 1968; "The Death of the Author," *Image, Music, Text*, transl. Stephen Heath, London: Fontana Press, 1977, 142~148쪽.

의 기호화^{encoding}와 해독^{decoding}에 관한 이론, 폴 리쾨르^{Paul Ricoeur}의 서사^{미메시스}의 3단계 이론 등은 서로 뒤얽히면서 수용미학 또는 독자반응비평이라는 개념을 형성했다.

이와 더불어 '텍스트' 개념만으로는 설명하기 어려운 다양한 서사 현상을 설명하기 위해 그 한계를 넘어서려는 대안 개념도 등장했다. 줄리아 크리스테바^{Julia Kristeva}의 '상호텍스트성'^{intertextuality}은 텍스트 사이의 상호 교차, 교류, 교환 현상을 설명하려고 했다. 이는 텍스트가 독자적으로 존재하지 않으며, 다른 텍스트와의 지속적인 상호 관계를 맺으면서 존재한다는 주장이었다. 제라르 주네트^{Gérard Genette}는 『문턱』^{Seuils:1987}이라는 저서에서 '파라텍스트'^{para-texte} 개념을 제안했다. 이는 주텍스트를 보완하는 보조텍스트를 말한다. 예컨대 소설은 그 서사만으로 이루어지는 게 아니라, 책이라는 물성으로 존재할 때, 그 책의 앞표지와 뒷표지, 표지 날개, 목차, 서문, 판권지 등의 병렬 텍스트 또한 중요한 요소라는 발견이었다.

다소 거칠지만 이런 흐름을 20세기 이후 비평의 역사와 결부지어 정리해 볼 때, '작품' 혹은 '텍스트'의 의미를 추출하거나 구성하려고 했던 20세기 비평은 텍스트주의^{textualism}와 맥락주의^{contextualism}의 경쟁으로 해석할 수 있다. 로이스 타이슨^{Lois Tyson}이 우리에게 압축적으로 알려준 20세기 비평의 흐름을 검토해 보면,[9] 텍스트 내부의 관계와 구조에 집중하여 의미를 추출하려고 했던 비평적 입장은 대표적으로 신비평과 구조주의 비평을 들 수 있다.

---

9 Lois Tyson, 윤동구 역, 『비평이론의 모든 것』, 앨피, 2012.

한편 사회·역사적 맥락 속에서 의미를 구성하려고 했던 입장은 정신분석 비평, 마르크스주의 비평, 여성주의 비평, 독자반응비평, 해체 비평, 신역사주의와 문화비평, 탈식민주의 비평 등으로 이어진다. 비평에 관한 명명의 분포만 보면 맥락주의가 훨씬 우위를 차지한 것처럼 보이지만, 이는 다양한 맥락을 모두 포괄하려는 과정에서 여러 입장이 등장했기 때문이며, 구조주의 비평이 텍스트주의로서 행사한 영향력은 맥락주의에 비해 무시할 수 없을 만큼 크다.

작가의 발견과 죽음, 텍스트의 발견과 독자의 등장 등 일련의 흐름을 거치면서 '텍스트'라는 용어만으로 설명할 수 없을 만한 상황을 보완해 줄 새로운 개념인 '상호텍스트성'이나 '파라텍스트' 등이 등장하기는 했지만, 그 또한 텍스트를 둘러싼 그 모든 콘텍스트를 완전히 포괄할 수는 없었다. 그러므로 이제 낡은 개념으로서 텍스트가 포괄하지 못하는 영역과 범주를 아우를 수 있는 새로운 개념의 요청은 시대적인 필요가 되었다.

우리가 '콘텐츠'라는 새로운 개념과 조우할 때, 그것은 분명히 텍스트와 콘텍스트를 결합한 개념, 즉 "콘텐츠=텍스트+콘텍스트"의 등식으로 이뤄진다는 점을 받아들여야만 한다. 콘텐츠는 당연히 그동안 텍스트 내부의 문제라고 여겨져 왔던 구조주의 비평의 방식을 '스토리텔링'이라는 하위 개념으로 흡수했다. 그러므로 콘텍스트적 접근이라고 여겨져 왔던 정신분석학과 마르크스주의, 여성주의, 독자반응, 탈식민주의 등을 아울러서 문화콘텐츠 비평에 활용할 수 있는 길을 열어야 한다.

앞당겨 말하면, 콘텍스트적 접근에 대한 이해 없이는 '콘텐츠 액티비즘'으로서의 가능성도 그만큼 좁아질 수밖에 없다. 개인과 집단의 무의식을 다루는 입장에서의 콘텐츠 분석과 비평, 사회·경제적 입장에서의 콘텐츠 분석과 비평, 탈식민주의적 입장에서의 콘텐츠 분석과 비평, 수용자 중심의 콘텐츠 분석과 비평은 모두 콘텍스트적 '경향성'과 '당파성' '주체위치'에 대한 사고로 우리를 이끈다. 이런 입장에 대한 분명한 선택과 지향의 설정은 콘텐츠 액티비즘을 가능하게 하는 가장 기초적이며 선행되어야 할 작업이다.

'콘텐츠'는 텍스트를 넘어서 상호텍스트성과 파라텍스트라는 개념이 설정됐음에도 여전히 부족했던 내용들을 아우른다. 예컨대 소설을 텍스트 자체로 간주하는 입장, 소설과 소설 혹은 소설과 다른 장르 사이의 상호 관계로 간주하는 입장, 소설이라는 텍스트를 둘러싼 물성으로서의 보조텍스트를 추가하는 입장을 모두 수용하더라도, 이들은 오늘날 소설이 어떻게 생산되고 소비되는지를 문제 삼지 못한다. 소설은 더 이상 작가의 지순한 창작 의도와 그 노력의 결과물이 아니다. 피에르 부르디외^{Pierre Bourdieu}가 주장한 바와 같이 그것은 출판사 에디터, 문학상, 문학잡지, 서점의 의도 등 '장'^{champ} 내부 수많은 기획에 의해서 구성되는 현상이다. 그뿐만 아니라, 그것은 이제 상상하지 못했던 기술의 진보와 산업의 연관, 정책의 압력 등 복잡한 변인에 의해 구성되고 있다. 이제 '콘텐츠'로서의 소설은 이 모든 확장된 존재의 기반을 문제 삼아야만 한다.

2 문화콘텐츠 비평의 필요성

'콘텐츠'는 예컨대 한 권의 소설이 출판되어 독자에게 전달되고 다시 그 반향이 일어나는 과정 전체를 문제 삼겠다는 의지를 드러내는 용어다. 그것은 기획과 제작, 유통, 소비, 수용과 재기획이 발생하는 전체 과정이다. 그러므로 소설은 이제 더 이상 작가의 것만도 아니고, 텍스트 그 자체만도 아니며, 독자의 것만도 아니며, 기획자와 편집자의 것만도 아니고, 마케터의 것만도 아닌 그 무엇, 바로 '콘텐츠'다. '콘텐츠' 담론은 기존의 논의가 포괄하지 못했던 중요한 영역으로서 기술^{technology}과 산업^{industry} 그리고 그들 상호 간에 빚어지는 수많은 함수관계까지 문제 삼게 된다. 예컨대, 무라카미 하루키의 『1Q84』의 제작과 번역 출판에 들어간 자본과 권당 판매 가격, 실제 판매 부수, 그에 따른 이윤 창출을 문제 삼는 비평가는 새로운 층위에서 이 소설의 의미를 구성해야 한다고 주장한다. 다시 예컨대, 소박하게는 디지털화된 소설로서 전자책이라는 물성과 그것의 유통 및 소비 과정, 조금 더 나아가 인공지능^{AI} 작가의 출현 가능성 등은 우리에게 역시 콘텐츠라는 층위에서 소설의 존재 방식과 의미 구성을 요구한다.

콘텐츠는 일련의 순환 구조를 가진다. 기획과 제작, 제작의 결과물로서의 좁은 의미의 콘텐츠, 유통, 소비, 수용, 재기획의 순환 구조가 그것이다. 주지하는 바와 같이 생산 단계인 기획과 제작 과정에서 기획은 문화콘텐츠 제작과 전체 순환 구조를 만들어 내기 위한 첫 단계이자 광범위한 정보 수집과 분석 등이 이루어지는 단계이다.

예컨대 트렌드 분석이나 이슈 분석, 이데올로기 분석, 스타일 분석 등이 이 과정에서 수행된다. 아울러 제작을 위한 기본적인 사전 준비가 모두 이루어져야 한다. 예산 확보, 제작자 섭외, 제작 스태프 구성, 제작 일정 결정 등이 모두 이 단계에서 이루어진다. 제작은 기획 단계에서 이뤄진 아이디어를 구체적인 콘텐츠로 만들어 내는 과정이다. 이 과정에서 제작자는 기획자와 긴밀한 협의를 통해, 기획의 아이디어가 현실화할 수 있도록 제작물을 만든다. 일정과 인력, 기술, 자본 등에 의해 제작 상황은 좌우될 수 있으므로 이런 점들을 염두에 두고 작업을 진행한다.

기획과 제작 과정, 즉 생산 단계를 거쳐서 만들어진 생산물을 '콘텐츠'라고 부를 수 있다. 이때 콘텐츠는 좁은 의미로 '만들어진 물리적 대상'을 의미한다. 이때 '물리적 대상'이란 온라인과 오프라인, 혹은 디지털과 아날로그적 형태의 것을 모두 포함한다. 앞서 말한 바와 같이 콘텐츠는 넓은 의미로 '텍스트'의 확장 개념일 수 있다. 텍스트는 콘텍스트, 상호텍스트성 등의 개념과는 달리 독립적인 형태로 존재하는, 다시 말하면 생산자와 소비자 사이에 놓여 있는 산물이다.

유통 단계에서는 배급과 마케팅이 중요하다. 만들어진 콘텐츠를 소비자/수용자에게 연결하기 위해서는 이것이 실제로 그들에게 전달될 수 있도록 하는 매개와 홍보 등의 역할이 반드시 필요하다. 경영학에서는 그 과정을 '마케팅'이라 불러왔다. 이는 문화콘텐츠 산업에 관한 논의에서도 필수 불가결한 요소다. 마케팅은 경영학 이론과 경험을 충분히 참고하여 문화콘텐츠산업의 특수성을 접목한 뒤 시행할 필요가 있다. 최근 마케팅은 전통적인 방식의 오프라인 광고는 물론 오프라인 이벤트, 온라인 광고 및 이벤트, 사회관계망^{SNS} 홍보, 입소문 등 다양한 방식으로 진화, 발전하고 있다. 문화콘텐츠에 관한 논의는 사실 기존의 학문적 논의를 대거 흡수하는 방식으로 이루어져야 한다. 그런 의미에서 문화인류학, 사회학, 지역연구, 문화연구 등은 물론이고 커뮤니케이션 연구, 경제학, 경영학 이론 등이 적절하게 흡수되어야 한다.

문화콘텐츠에 관한 논의와 담론은 기존의 학문적, 비평적, 실천적 성과를 받아들이면서 형성되고 구성될 수밖에 없다. 예컨대 기존의 성과로서 문화연구는 우리에게 매우 의미 있는 비판의 전략, 개입의 전략, 폭로의 전략 등을 남겨주었고, 현상으로서의 대중문화 안에 가려져 있는 문제를 어떻게 의제화할 수 있는지 알려주었다. 우리는 21세기적 상황에서 '문화콘텐츠'를 조우하게 되었으나, 그것은 분명 20세기적 성과와 한계의 바탕 위에서 그 자양분을 흡수하는 과정을 겪어나가야만 한다.

수용 단계에서는 수용과 평가, 비평, 재기획 등이 이뤄진다. 수용자가 직접 콘텐츠를 접촉하여 이를 향유하는 단계다. 콘텐츠의 소비는 그 특성상, 소비, 수용, 향유 등으로 구분되어 설명될 수 있다. 이 과정에서 '비평'이라는 형식이 나타나기도 한다. 비평가임을 자처하는 전문가들은 특정한 콘텐츠에 대해 나름의 기준과 식견을 가지고 비평 활동을 수행한다. 비평 활동은 전통적인 글쓰기 비평에서 온라인 비평, 사회관계망^{SNS} 비평, 구두 비평 등으로 확장될 필요가 있다.

그러나 이 글이 결론적으로 제시하고자 하는 액티비즘으로서의 문화콘텐츠 비평이라는 층위에서 볼 때, 우리는 수용자를 행위 주체로 하는 비평 행위만이 액티비즘이라고만 강변할 필요는 없다. 수용과 향유 단계에서의 행위만을 액티비즘으로 간주하게 되면, 이는 문화콘텐츠의 순환 구조 내부 일련의 행위들이 내포하고 또 발현하는 가치를 무시하는 태도가 될 수 있다. 즉 기획이나 생산 등 문화콘텐츠 순환 구조 내부 각각의 환절도 포괄적인 액티비즘으로 승인돼야 한다.

문화콘텐츠 액티비즘이라고 말할 때, 우리가 문화콘텐츠를 도구라고 인식한다면, 이 개념은 콘텐츠를 활용해서 다양한 문제를 해결해 나가려고 하는 행위를 가리키게 된다. 그런데 만약 문화콘텐츠 자체를 목표라고 설정하게 되면, 문화콘텐츠 자체를 바꾸는 액티비즘도 또한 문화콘텐츠 액티비즘의 개념 안으로 포괄될 수 있다. 그러므로 이러한 상황에서 문화콘텐츠 기획과 제작 등 순환 구조 전반에 걸친 액티비즘이 성립 가능하게 된다.

그중에서도 '문화콘텐츠 비평'은 문화콘텐츠 순환 구조 전반에 관심을 가지고, 이를 설명하고 평가해야 하는 역할을 수행해야만 한다. 기술과 산업 중심의 결과물로 여겨져 온 문화콘텐츠에 대해서는 이들에 대한 비평을 포괄해야 할 뿐만 아니라 콘텐츠 생태계를 건강하게 만드는 감시자로서의 역할, 조력자이자 주도자로서의 역할을 수행할 필요가 있다. 그런 의미에서 문화콘텐츠 비평의 역할 중 하나는 맥락 내부에 놓여 있는 복잡한 권력관계를 드러내는 일이다. 이런 일을 통해 우리는 건강한 문화콘텐츠 비평을 통해 더욱 풍부한 콘텐츠 생태계를 구축하게 될 것이다.

  예컨대 우리는 리안李安의 영화 <색/계>^Lust/Caution:2007 를 중국이라는 맥락 위에 위치시킨 뒤에 이를 하나의 콘텐츠로 간주할 때, 이를 둘러싼 적어도 네 주체의 다른 입장을 살펴볼 수 있다. 미국의 제작사 포커스 피쳐스^Focus Features와 영화의 감독 리안, 영화의 수입을 허가한 중국 당국, 더불어 이 영화의 중국 내 관객이다. 감독은 이 영화를 통해 1940년대 홍콩과 상하이라는 도시에 대한 노스탤지어, 더불어 그 안에서 활약했던 한 여성 작가, 즉 장아이링張愛玲의 동명 소설을 통해 국가와 역사, 전쟁 혹은 간첩 행위와 애정 행각, 혹은 삶에서 우리가 가장 소중하게 추구해야 할 가치가 무엇인지를 묻고 싶었을 것이다. 그런 면에서 그는 철저하게 텍스트주의자로 위치한다. 그런데 당시 많은 관객은 스토리텔러로서 이러한 감독의 노력과는 달리, 이 영화가 보여주는 노골적이고 수위 높은 '베드신'의 문제에 집중했다. 삭제와 무삭제 사이에서 숱한 논쟁이 벌어졌다. 이 논쟁은 때때로 중국 정부의 영화 검열 정책에 대한 문제 제기로 방향을 설정하는 듯했지만 결과적으로 이 영화에 대한 관객 대중의 담론은 매우 통속적인 틀 안에 갇혀버리고 말았다. 이 과정에서 중국 당국은 리안이 해외에서 영화를 제작하는 '화인'華人임을 강조하면서 그의 영화를 '화인영화'라는 틀로 규정하고, 2007년 베니스영화제 황금사자상 수상이라는 서구의 인정을 통해 중국영화의 세계화 전략을 성공적으로 수행한 결과로 이 영화를 소환했다. 그러나 제작사 포커스 피쳐스는 이 영화의 일련의 흐름들 속에서 중국 내에서 충분한 수익을 거두는 성과를 발휘했다. 이

영화의 제작비는 1,500만 미국 달러^{USD}였고, 당시 전 세계 수입은 6천만 달러였다고 알려졌는데, 그중 미국에서의 수입이 460만 달러, 중국에서의 수입이 1,700만 달러에 이르렀다.[10] 이렇게 볼 때, <색/계>를 둘러싼 네 주체는 각각 서사 주체^{감독} 통속 주체^{관객} 정치 주체$^{중국\ 당국}$ 자본 주체^{제작사}로 정리될 수 있으며, 각 주체는 자신의 욕망을 극대화하는 방식으로 콘텐츠의 좌표를 복잡하게 구성하면서 상호 간 의미가 미끄러진다. 이 과정에서 콘텐츠를 둘러싼 의도가 명확하게 드러나지 못하고, 그 의미도 구성되지 못하는 한계를 만들었다.

　문화콘텐츠는 만들어진 물적 결과물로서의 '콘텐츠' 그 자체를 매우 중요하게 여긴다. 그러나 동시에 문화콘텐츠는 맥락 중심적이어야 한다. 따라서 문화콘텐츠는 기존의 예술이나 문화에 관한 비평 담론이 포괄해 왔던 영역을 계승함과 동시에 기존 담론이 포괄하지 못했던 기술과 산업, 그리고 다양한 변인이 얽혀 있는 존재 방식을 포괄하고 문제 삼아야 한다. 기술이나 산업 자체를 선하지 않은 것으로 간주할 필요는 없다. 이들은 문화콘텐츠의 존재에 있어서 필수 불가결한 요소다. 이들은 그것이 어떠한 의도와 목적을 가지고 존재하느냐에 따라 그 의미와 지향이 달라지는 중립적인 성격을 보유한다. 그런 의미에서 문화콘텐츠 비평은 전통적인 관점에서 텍스트 비평이 수행해 왔던 논의들은 물론 산업 비평, 기술

10　이상의 논의는 임대근, 「영화 <색/계>의 문화정치학」, 『중국학연구』 제46집, 2008, 341~358쪽 참조.

비평, 정책 비평, 마케팅 비평 등을 아울러야만 하고 더 나아가 이들 사이에 복잡하게 얽혀 있는 변인들을 밝혀내는 일을 해야 한다. 문화콘텐츠의 의미는 복합적으로 구성된다는 사실을 전제로 삼아야만 한다. 콘텐츠-기획, 콘텐츠-제작, 콘텐츠-편집, 콘텐츠-유통, 콘텐츠-배급, 콘텐츠-수용, 콘텐츠-소비, 콘텐츠-재기획 등이 다양한 함수관계를 만들어 내면서 그 의미를 구성하고 있음을 이론적인 층위와 실천적인 층위에서 밝혀내야만 한다. 이러한 맥락에서 "기획 없는 비평은 가능하지만, 비평 없는 기획은 불가능하다"는 명제를 생각해 본다면, 문화콘텐츠 비평 행위는 결국 문화콘텐츠 기획에 대한 기획 역할론, 산업에 대한 역할론, 정책에 대한 역할론, 기술에 대한 역할론, 사회적 문제에 대한 역할론 등을 형성하면서 지지받을 수 있을 것이다.

3 콘텐츠 액티비즘

'실천'은 우리를 역동하게 한다. 콘텐츠 액티비즘이라고 말할 때, '액티비즘'은 우리가 전통적으로 주장해 왔던 '실천' 개념과 맥락을 같이 한다. '실천'practice은 주로 '이론'theory에 대응하는 개념으로 쓰여 왔다. '이론'이 전 역사적 층위에서 구성된다면, '실천'은 동시대적 층위에서 요구된다. '실천'은 '이론'에 기반을 두고 전진할 수 있다.

'액티비즘'의 유사 개념에는 '개입'intervention '운동'movement/

^{campaign} '핵티비즘'^{hactivism} 등이 있다. '개입'이란 문화연구자들이 자주 활용해 온 개념으로서 특정한 문화 현상 이면에 숨겨져 있는 권력관계를 폭로하고 비판해 왔던 문화적 실천의 일종이었다. '운동'은 특정 사안에 대해 적극적인 사회적 의제를 제기하고 행동화하는 과정 일체를 가리키는 개념이다. 액티비즘의 한 종류로 거론되는 '핵티비즘'은 주로 온라인에서 이뤄지는 액티비즘을 일컫는다.[11]

한나 아렌트^{Hanna Arendt}는 주저, 『인간의 조건』에서 인간의 존재조건으로 말과 행위를 제시하면서, 이를 통합하는 방식으로서의 '정치적 행위'에 주목한다. 특히 그는 행위를 뜻하는 그리스어 동사 'archein'과 라틴어 동사 'agere'를 어원적으로 살피면서 그것이 '이끌다' '시작하다' '무엇을 움직이게 하다'와 같은 의미를 내포하고 있다고 제시한다. 그런데 '행위'라는 뜻을 가진 그리스어와 라틴어의 다른 단어들, 즉 각각 'prattein'과 'gerere'는 "무엇인가를 이루거나 달성하거나 완성하는 것" 또는 "무엇인가를 낳는 것"을 뜻한다. 이러한 어원적 접근을 통해 아렌트는 앞의 단어들이 "한 사람에 의한 시작"을 지시한다면, 뒤의 단어들은 "다수가 참여하여 일을 수행하고 완성하며 완전히 이루어 낸 업적"을 지시한다고 말한다. 즉 이들은 각각 "행위의 시작"과 "행위의 성취"를 나타낸다.[12] 이를 통해 아렌트의 '행위'는 누군가 개시해야 하는

---

11 '핵티비즘'에 관한 설명은 김희경 · 남정은, 『트랜스미디어 액티비즘』, 커뮤니케이션북스, 2016 참조.

일이면서 또한 나아가 여러 사람이 함께 연대하는 방식으로 구성된다는 점을 알 수 있다.

액티비즘이라는 용어는 행위를 '주의'로 정립하려고 하는 더욱 급진적인 입장을 드러내지만, 그것 자체는 한나 아렌트의 가치와 지향을 참고할 필요가 있다. 그런 의미에서 문화콘텐츠가 액티비즘으로 구성되기 위해서는 구체적인 조건에 관한 논의가 필요하다. 여기서는 다음과 같이 몇 가지 조건을 제시하는 것으로 시론적 논의를 대신하고자 한다.

첫째, 동시대성이다. 동시대 문제에 관한 관심은 액티비즘을 구성하기 위한 가장 중요한 첫걸음이다. 동시대성은 콘텐츠의 존재 방식을 문제 삼기 때문에 궁극적으로 세계관/가치관 문제와도 연결된다.

둘째, 문제의식과 현실진단이다. 궁극적인 세계관/가치관의 문제가 제기해 준 동시대성으로부터 한 걸음 더 구체적으로 들어가 오늘날 문화콘텐츠의 문제가 무엇인지, 액티비즘의 결과로서 필요한 우선순위 문제가 무엇인지 진단할 필요가 있다.

셋째, 주체위치의 설정이다. 문제의식과 현실진단의 과정에서 반드시 병행되어야 할 작업은 액티비즘의 주체로서 자신의 위치를 설정하는 일이다.

넷째, ^{제한된} 목표의 설정이다. 액티비즘의 목표는 때로는 장기적

---

12 Hanna Arendt, *The Human Condition*, 이진우·태정호 역, 『인간의 조건』, 한길사, 1996, 250~251쪽; 박병준, 「한나 아렌트의 인간관」, 『철학논집』 제38집, 2014, 27쪽 참조.

으로, 때로는 중기적으로, 때로는 단기적으로 설정될 필요가 있다. 단기 목표를 이루었다면 과감하게 다음 '행위'를 수행해야 할 필요가 있다.

다섯째, 명확한 도구의 활용이다. 액티비즘을 위해서는 분명한 도구가 필요하다. 개인 혹은 집단의 '행위'가 하나의 운동으로 이어지기 위해서는 어떤 도구, 즉 우리가 보통 이야기하는 콘텐츠를 어떤 방식으로 활용할 것인지를 분명히 설정해야 한다.

이제 이와 같은 몇 가지 구성 조건에 따라 문화콘텐츠 비평이 가지고 있는 액티비즘으로서의 성격과 의미를 제시해 보면 다음과 같다.

첫째, 액티비즘으로서의 문화콘텐츠 비평은 동시대적 문제의 해결 방향을 제시하기 위해서 수행돼야 한다. 비평의 근본적인 성격은 "나누는 것"이다. 'critic' 혹은 'criticism'은 라틴어의 '나누다'라는 뜻에서 유래했다. 그것은 유의미한 콘텐츠와 무의미한 콘텐츠, 정치적으로 올바른 콘텐츠와 그렇지 않은 콘텐츠, 아름다운 콘텐츠와 아름답지 못한 콘텐츠, 재미있는 콘텐츠와 재미없는 콘텐츠를 나누는 작업이다. 이는 개인이나 집단의 세계관을 확인하고 그 지향을 분명히 하는 과정일 수밖에 없다. 그러므로 그 과정에서 동시대성을 확보하는 일이란, 세계를 분류하는 기준과 그에 따른 당파성을 드러내는 작업이어야 한다.

둘째, 액티비즘으로서의 문화콘텐츠 비평은 오늘날 문화콘텐츠 비평이 부재하는 혹은 존재한다고 하더라도 그것이 이와 같은 개념으로 통합되지 못한 채 분산된 현실에 주목해야 한다. 문화콘텐츠의 대량 생산에 비추어 이에 관한 문제를 비평적으로 의제화하지 못하는 상황은 계속되고 있다. 존재해 왔거나 존재하는 비평이라 해도 기술과 산업이 선도하면 이를 동어반복으로 설명해 주는 상황이 이어지고 있다. 이런 상황에서 문화콘텐츠 비평은 이론비평의 필요와 의미를 구성해야 한다. 기존의 질서를 뒤흔들면서 재구성하고, 그 이면에 숨겨진 우열관계 혹은 권력관계를 드러내고 폭로함으로써 그 관계를 재편할 필요가 있다. 문화콘텐츠 비평의 위상과 관계성(융합)을 유도하고, 비평 주체와 매체와 객체 사이의 상호 교환, 교류, 교차, 충돌을 유도해야만 한다.

셋째, 액티비즘으로서의 문화콘텐츠 비평은 그 과정에서 비평의 주체들이 분명한 주체위치를 설정하도록 해야 할 필요가 있다. 주체위치의 설정은 자신의 위치를 탈식민적으로 관찰하고 승인하는 과정을 의미한다. 이에 따라서 우리는 자신이 소수자에 속하는지 다수자에 속하는지, 다수자에 속하면서 다수자 그룹을 지지하는 그저 그런 '인정'의 태도를 취할 것인지, 다수자에 속하지만 소수자 그룹을 지지하는 '지향'의 태도를 취할 것인지, 소수자에 속하면서 소수자 그룹을 지지하는 '당위'의 태도를 취할 것인지, 소수자에 속하면서도 다수자 그룹을 지지하는 '이데올로기'에 함몰되는 태도를 취할 것인지 결정하게 된다.

넷째, 액티비즘으로서의 문화콘텐츠 비평은 비평의 방법을 '콘텐츠'적으로 모색할 필요가 있다. 오늘날 비평 환경은 콘텐츠 환경만큼이나 급격하게 변화하고 있다. "근대적 의미의 비평가들은 문화예술 현장에서 퇴장 요구에 직면하고 있다."[13] 엘리트 비평은 이제 한계에 직면했으며, 매체의 대중화에 따른 대중 비평이 활성화하고 있다. 비평의 전환과 비평 환경의 전환이 새로운 요구를 맞고 있다. 이런 상황에서 문화콘텐츠 비평이 액티비즘으로서 의미를 갖기 위해서는 기존의 비평과는 분명히 다른 도구론적 입장을 가질 필요가 있다. 기존의 비평은 단수 비평가가 주로 단수 텍스트를 두고 단수 매체^{문자}를 통해 '단수의 비평'을 전개하는 방향으로 이뤄져 왔다. 그러나 문화콘텐츠 비평은 복수 비평가^{A}가 복수 콘텐츠^{B}를 두고 복수 매체^{C}를 통해 '복수의 비평'을 실천해야 한다. 이런 구도를 통해서 우리는 A-B-C를 연결하는 매우 다양한 함수관계를 발견해 낼 수 있을 것이다. 이것은 다른 말로 하면 오늘날 콘텐츠가 현장에서 직면하고 있는 중요한 도전이자 과제인 '트랜스미디어 비평'의 행위로까지 나아갈 수 있어야 한다. 이제 우리에게는 트랜스미디어 비평의 실천적 사례의 구축이 필요하게 되었다. 그것은 비평 대상의 측면에서 장르비평을 넘어서, 비평 주체의 측면에서 단수 비평을 넘어서 수행되는 행위여야 한다. 20세기적 의미에서 비평가의 권위를 내려놓고, 어떤 의미에서는 역설적으로 '비평가의 죽음'을 선언함으로써만 문화콘텐츠 비평이 가능할 수 있다. 의미를 구성하는 행위로서, 액티비즘의 성과를 도출하기 위한 방법

---

13 이 표현은 연구자가 기초한 최근 성립된 '한국문화콘텐츠비평협회' 창립 선언문에서도 쓴 바 있다. 이 협회는 최근 다양한 활동을 모색하면서 문화콘텐츠 비평을 구성^{construction}해 나가려는 노력을 수행하고 있다. 예컨대, 2019년 6월부터는 월례비평모임인 '월간 콘비협'을 조직하고 문화콘텐츠 비평의 동시대적 의미를 실천적으로 탐구하는 작업을 기획했다.

으로서, 트랜스미디어 비평의 구체화를 통해서만 문화콘텐츠 비평의 실천적 의의를 담보하게 된다.

문화콘텐츠 비평을 개념화하고 구성해 내는 이러한 과정을 다시 정리하면, 비평의 목적과 비평의 대상, 비평의 방법, 비평의 관점, 비평의 주체를 분명히 하는 일련의 작업을 통해 '액티비즘'으로서 가능성을 구축해 가야 한다고 할 수 있다. 텍스트주의와 맥락주의의 차이를 통합하는 과정을 통해서 문화콘텐츠 비평의 개념화와 이를 구체적인 우리 사회의 문제 해결을 위한 '행위'로 연결하는 과정에서 그 자리와 역할을 찾게 하는 일이 필요하다. 액티비즘의 주체는 단수일 수 없다. 뜻을 같이하는 이들의 연대를 위해서는 액티비즘에도 기획이 필요하다. '행위'가 모종의 절대적인 '주의'의 위상을 갖기 위해서라면, 그것은 존재의 기반이자 근원으로서 인정될 필요가 있다. 행위의 주체와 대상, 행위의 성격에 대한 논의는 그러한 전제 위에서만 구성될 수 있다.

문화콘텐츠 비평은 20세기적 비평의 방식과 관점을 계승함과 동시에 이를 비판적으로 확장해야 한다. 그러므로 맥락주의를 강조하는 입장이라면, 문화콘텐츠의 순환 구조 위에 놓여 있는 그 복잡한 존재 방식을 밝히는 노력이 필요하다. 더 나아가 기존의 맥락주의가 관심을 갖지 못했던 영역까지도 비평의 대상과 범주로 아울러야 한다. 텍스트주의를 강조하는 입장이라면 좁은 의미의 콘텐츠가 보유하는 텍스트의 의미를 구성할 수 있어야 한다. 그러므로 문화콘텐츠 비평은 기획, 제작, 콘텐츠, 유통, 수용, 향유, 재기획의 과정에 놓인 복잡한 현상을 세밀히 관찰해야 한다. 이를 통해 맥락

속의 의도는 드러내고, 텍스트의 의미는 구성하는 작업을 이론비평
과 실제비평의 과정 위에서 수행해 내야 한다.

제5장

문화콘텐츠의 연구 방법

■■■

　지난 20년간 문화콘텐츠연구는 랑그로서의 문화콘텐츠, 파롤로서의 문화콘텐츠를 다루어왔다. 랑그 또는 파롤로서의 문화콘텐츠는 '전체'이자 일련의 흐름으로 보아야 한다. 이런 바탕 위에서 문화콘텐츠연구에 대한 학문적 접근을 시도해야 한다. 문화콘텐츠연구는 근대 이후 학문의 역사적 흐름 위에 놓여 있다. 그것은 문화 개념을 지리-횡단적으로 해방한 문화인류학과 계급-종단적으로 해방한 문화연구를 이어 나타난 개념이다. 또한 '콘텐츠'는 작품-텍스트-미디어에 뒤이어 출현하여 21세기를 대표하는 개념 가운데 하나가 되었다. 문화콘텐츠연구는 다양한 학문 분과를 포괄하는 학제적 연구의 형식으로 시작되었다. 문화콘텐츠연구의 방법론을 논의하기 위해서는 연구 대상, 연구 목적, 연구 주체의 상호작용을 살펴보아야 한다. 문화콘텐츠연구의 대상은 랑그와 파롤로서의 문화콘텐츠다. 문화콘텐츠는 광의적으로 문화콘텐츠의 생산과 수용을 아우른다. 협의로는 기획과 제작의 결과로서 제시된 특정한 개별적 혹은 복수적 생산물을 일컫는다. 문화콘텐츠연구는 분과학문이 아니며, 학제적 연구, 초학제적 연구transdisciplinary studies로서 수행되어야 한다. 연구 목적의 설정은 연구과제와 긴밀히 관련된다. 학계는 문화콘텐츠연구의 최종 과제를 설정해야 한다. 첫째, 문화콘텐츠[langue]의 원리와 다양한 형태 및 장르의 문화콘텐츠들[parole]의 관계에 주목해야 한다. 둘째, 문화콘텐츠를 동시대적 범주 안에서 생산과 수용의 맥락으로 구성해야 한다. 셋째, 문화콘텐츠가 문화자원을 어떻게 동시대적으로 재생산할 것인지에 관해 탐구해야 한다. 넷째, 문화콘텐츠의 원리에 따라 생산된 파롤로서의 문화콘텐츠가 갖는 구조에 대한 분석이 필요하다. 다섯째, 문화콘텐츠연구는 분과의 형식으로 존재했던 20세기의 다양한 학문의 경험을 초학제적으로 원용해야 한다.

문화콘텐츠가 학문의 대상으로 승인된 지 20년이 되었다. 문화콘텐츠라는 용어의 출현에 뒤이어 이를 연구하는 학자 집단이 인문콘텐츠학회를 결성한 게 2002년의 일이다. 지난 20년 동안 문화콘텐츠는 신생 분야로서 적지 않은 성과를 축적하면서 학문의 정체성을 형성해 왔다. 특히 문화콘텐츠연구는 문화원형, 문화코드, 문화공간, 문화기술, 디지털콘텐츠, 스토리텔링, 기획과 제작, 경영과 마케팅 등의 영역에서 새로운 지식을 생산했다.

그러나 신생 학문을 향한 회의적 시각은 여전히 무성하다. 문화콘텐츠를 향해 "도대체 문화콘텐츠란 무엇인가?"라는 근본적 정체에 관한 물음이 여전히 끊이지 않고 이어진다. 더불어 "문화콘텐츠연구는 분과학문인가, 학제적 연구인가?"라는 학문의 정체에 관한 물음도 있다. 나아가 "문화콘텐츠연구는 출판, 영상, 공연, 전시, 게임, 축제 등을 독립 장르로 간주하는가, 복합 대상으로 간주하는가?"라는 다소 구체적이면서도 역시 문화콘텐츠 자신과 그에 대한 학문적 정체를 뒤섞은 물음도 있다.

1 문화콘텐츠연구에 관한 물음들

문화콘텐츠연구는 이런 물음들에 대해 많은 관심을 기울였다. 김
기덕1 박기수2 박상천3 신광철4 이기상5 임대근6 태지호7 등의 연

---

1 김기덕, 「콘텐츠의 개념과 인문콘텐츠」, 『인문콘텐츠』 창간호, 2003;
   김기덕, 「문화콘텐츠의 등장과 인문학의 역할」, 『인문콘텐츠』 제28호,
   2013; 김기덕, 「인문학과 문화콘텐츠: '인문콘텐츠학회'의 정체성의 문
   제」, 『인문콘텐츠』 제32호, 2014; 김기덕, 「4차 산업혁명시대 콘텐츠
   와 문화콘텐츠」, 『인문콘텐츠』 제52호, 2019 등.

2 박기수, 「한국문화콘텐츠학의 현황과 전망」, 『대중서사연구』 제16호,
   2006; 박기수, 「문화콘텐츠 정전 구성을 위한 시론」, 『문학교육학』
   제25호, 2008 등.

3 박상천, 「예술의 변화와 문화콘텐츠의 의의」, 『인문콘텐츠』 제2호,
   2003; 박상천, 「"문화콘텐츠" 개념 정립을 위한 시론」, 『한국언어문화
   』 제33집, 2007; 박상천, 「문화콘텐츠학의 학문 영역과 연구 분야 설
   정에 관한 연구」, 『인문콘텐츠』 제10호, 2007; 박상천, 「테크놀로지,
   미디어, 문화콘텐츠」, 『인문콘텐츠』 제37호, 2015; 박상천, 「문화콘텐
   츠의 '즐거움'과 '재미'에 관한 연구」, 『한국언어문화』 제69호, 2016
   등.

4 신광철, 「인문학과 문화콘텐츠」, 『국어국문학』 제143호, 2006; 신광철,
   『문화콘텐츠학 입문』, 한신대 출판부, 2009; 신광철, 「문화콘텐츠학 연
   구사 정리의 방향과 과제」, 『인문콘텐츠』 제38호, 2015; 신광철, 「문
   화콘텐츠학과 신 실학」, 『한국실학연구』 제36호, 2018 등.

5 이기상, 「지구지역화와 문화콘텐츠: 지구촌 시대가 기대하는 한국 문화
   의 르네상스」, 『인문콘텐츠』 제8호, 2006; 이기상, 「문화콘텐츠학의 이

구 성과는 문화콘텐츠연구를 담론화하기 위한 학계의 관심을 보여준다. 이들은 주로 철학, 문학, 역사학, 종교학, 영화학 등에 학문의 기반을 두고 문화콘텐츠를 그 확장으로 인식하고 논의해 왔다. 이런 논의는 문화콘텐츠를 랑그^{langue}로서 다룬다. 다양한 분과학문의 연구자가 교차되는 이런 상황은 문화콘텐츠연구의 정체성을 다루는데 매우 중요한 영감을 제공한다. 즉 문화콘텐츠연구는 분과학문 내부와 외부의 교차, 분과학문과 분과학문 사이의 교섭 등을 가능하게 한다.

이들의 관심으로 문화콘텐츠연구의 학문적 성격이 점차로 분명한 모습을 갖추게 되었고 그 정체성도 더욱 명징하게 드러나고 있

념과 방향: 소통과 공감의 학」, 『인문콘텐츠』 제23호, 2011; 이기상·박범준, 『소통과 공감의 문화콘텐츠학』, 한국외대 출판부, 2016 등.

6 임대근, 「문화콘텐츠 개념 재론」, 『문화+콘텐츠』 제5호, 2014; 임대근, 「문화콘텐츠연구의 학문적 위상」, 『인문콘텐츠』 제38호, 2015; 임대근, 「문화콘텐츠비평: 콘텐츠 액티비즘의 가능성」, 『인문콘텐츠』 제53호, 2019; 임대근, 「문화콘텐츠의 분류: 비판과 대안」, 『글로벌문화콘텐츠』 제44호, 2020 등.

7 태지호, 「문화콘텐츠학의 체계 정립을 위한 기반 구축에 대한 연구: 분과학문으로서의 위상 정립을 중심으로」, 『인문콘텐츠』 제5호, 2005; 태지호, 「문화콘텐츠 연구 방법론의 토대에 대한 모색: '문화'와 '콘텐츠'를 어떻게 다룰 것인가」, 『인문콘텐츠』 제41호, 2016; 태지호, 「스마트 미디어 시대의 문화콘텐츠 방법론으로서 담론 분석」, 『글로벌문화콘텐츠』 제25호, 2016; 권지혁·태지호, 「인문콘텐츠 분야 연구사의 경향성 분석」, 『인문콘텐츠』 제51호, 2018; 태지호, 「문화콘텐츠 2.0, 어떻게 접근할 것인가: 문화콘텐츠에서 인터콘텐츠로」, 『콘텐츠문화연구』 제1호, 2019 등.

다. 물론 이런 논의 내부에도 다양한 차이와 쟁점이 여전히 존재하지만, 이는 문화콘텐츠연구가 학문적으로 정립되는 과정 가운데 반드시 거쳐야 할 다성성으로 이해되어야 한다.

문화콘텐츠연구의 활발한 담론화 과정에도 불구하고 지난 연구는 대체로 개별 현상에 집중되어 있었다. 이런 입장은 문화콘텐츠를 파롤^{parole}로 다룬다. 그 결과 특정 출판콘텐츠, 영상콘텐츠, 게임콘텐츠, 축제콘텐츠 등을 독립 범주에서 설명하고 해석하는 경향이 연구 성과의 주류를 차지했다. 이런 연구들은 기존에 개별 장르를 대상으로 삼아왔던 분과학문, 예컨대 출판학, 영화학, 게임학 등과 연구의 결과가 차별화되어야 한다는 압력 속에서 수행되었다.

이런 압력을 극복할 수 있는 중요한 인식은 바로 문화콘텐츠가 충분히 장르로서 존재할 수 있지만 동시에 이들 사이에 지속적인 흐름을 통해서 만들어지는 '전체'라는 사실에서 비롯된다. 그러므로 '전체'로서의 문화콘텐츠를 일련의 흐름으로 간주하고 이에 대한 학문적 접근을 시도하는 일이 계속되어야 한다. 그러므로 문화콘텐츠연구에 관한 기존의 담론적 실천 위에서 그것이 어떻게 학문적 정체성을 수립할 수 있는지를 묻고자 한다. 또 그 물음에 접근하는 입구로서 문화콘텐츠연구의 방법론을 논의한다.

2 '잡학'으로서의 문화콘텐츠연구

문화콘텐츠연구는 '잡학'^{雜學}이다. '잡학'이라 함은 첫째 비주류

학문이란 뜻이고, 둘째 여러 분야가 결합한 학문이란 뜻이다. 비주류 학문이란 개념은 주류 학문이라는 개념이 있어야 성립할 수 있다. 주류 학문이란 무엇인가? 여러 층위에서 논의할 수 있겠지만, 앞서 살펴본 대로 우리의 논의는 '문화콘텐츠'를 다루고 있으므로 근대 이후 '문화'와 '콘텐츠'라는 개념이 출현하고 변화해 온 학문의 흐름을 통해 이를 살펴볼 필요가 있다. 주지하는 바와 같이 문화콘텐츠는 '문화'와 '콘텐츠'의 합성 개념이며, 그 각각은 서로 다른 학문적 경향의 흐름 위에서 자기 개념을 형성해 왔다.

근대 이후 문화를 대상으로 삼은 학문은 문화인류학으로 시작되었다. 문화인류학은 인류학의 분과로서 "고고학이 다루는 범위 밖의 역사시대로부터 현대에 이르기까지 세계의 여러 민족과 그들의 문화를 사회과학적 방법으로 비교 연구하는 학문"[8]이다. 에드워드 버넷 타일러Edward Burnett Tylor가 "문화 또는 문명이란, 민족연구라는 넓은 관점에서 볼 때, 지식, 신념, 예술, 법률, 도덕, 관습 및 사회 구성원으로서의 인간이 획득한 기타 능력과 습관을 포함하는 복합적 총체"[9]라고 정의한 이래 인간의 학습된 행동 양식으로 규정되어 왔다. 그는 문화와 문명을 동의어로 간주함으로써 문화를 '인간 삶의 모든 것'이라는 범주로 설정하여 이른바 '총체론적 관점'을 제시했다. 문화인류학은 이로써 미지의 세계에 대한 문화상대주의

---

8 한상복 외, 『문화인류학』(개정판), 서울대 출판문화원, 2011, 11쪽.

9 Edward B. Tylor, *Primitive Culture* Vol.1, London: John Murray, 1871, 1쪽.

적 관점을 발전시킴과 동시에 문화가 인간 세계 어느 곳에나 있다는 인식을 일깨우는데 기여했다. 서구 학자들에 의해 주도된 20세기 전반의 문화인류학의 성과는 보편 현상으로서의 문화를 지리-횡단적으로 확장하면서 공시적 층위에서 해방하는 결과를 가져왔다.[10]

20세기 후반에는 문화연구의 흐름이 나타났다. 앞서 살펴본 대로 문화연구는 1964년 영국의 버밍엄대학교 현대문화연구소의 설립과 더불어 시작되었다. 문화연구는 문화를 고급문화와 대중문화로 명확하게 구분하고 대중문화를 연구 대상으로 설정했다. 스튜어트 홀과 존 피스크John Fiske 등을 대표로 하는 문화연구는 20세기 후반의 텔레비전 문화를 중심으로 다양한 문화기호와 정체성에 관한 연구를 수행함으로써 문화를 계급-종단적으로 확장하면서 계급적 층위에서 해방하는 결과를 가져왔다. 이 과정에서 문화연구는 클로드 레비스트로스Claude Lévi-Strauss를 대표로 하는 초기 기호학과 언어적 패러다임의 관점, 문화의 '정치경제학'을 중시하는 관점,

---

10 문화인류학이 이른바 '종속 계급의 문화'에 대한 연구를 시작했다는 견해도 있다. 미시사 연구를 주도한 이탈리아 학자 카를로 진즈부르그Carlo Ginzburg는 16세기 역사를 연구하면서 '종속 계급의 문화'를 '민중문화'cultura popolare라고 부른 뒤, 그 개념을 탐구하고 있다. 그러나 그 또한 '민중문화'의 개념이 매우 혼란스럽다고 자인하고 있는 데다, 『치즈와 구더기』로 대표되는 그의 학문적 작업이 중세 유럽의 상황을 주로 다루고 있으며, 1976년 즉 이미 '대중문화' 개념이 자리 잡은 뒤에 출판되었다는 점 등을 고려해 볼 때, 이를 온전히 문화인류학의 근대적 성과로 돌려보내기에는 알맞지 않다. Carlo Ginzburg, 김정하·유제분 옮김, 『치즈와 구더기』, 문학과지성사, 2001, 23~39쪽 참조.

'구조주의' 계열의 관점을 통해 지적 기반을 축적했다.11 문화연구
는 이후 프랑스, 호주, 인도, 미국, 캐나다, 일본 등으로 확산하면서
세계적인 연구의 경향을 만들었다. 이를 통해 우리는 대중문화 내
부에 존재하는 다양한 권력관계를 폭로하고 이데올로기의 작동 방
식과 수용자 연구 등의 성과를 도출할 수 있었다.

20세기 학계를 풍미하면서 문화를 연구 대상으로 삼은 주류 학
문의 반열을 구성한 문화인류학과 문화연구는 21세기에 들어서면
서 문화콘텐츠연구라는 새로운 학문적 경향으로 이어졌다. 문화콘
텐츠연구는 분과학문으로서의 문화인류학과 학제적 연구로서의 문
화연구를 계승하면서 이들이 포괄하지 못하는 문화의 존재 방식을
학문적 문제로 대상화한다. 문화콘텐츠연구는 기술적, 산업적 층위
에서 문화를 해방한다. 그러나 문화콘텐츠연구는 여전히 분과학문
이 아니라는 이유로, 또한 문화를 다루는 방식이 매우 포괄적이라
는 이유로 '주류'에서 벗어나 있는 듯 보인다.

이는 '잡학'으로서의 문화콘텐츠연구의 두 번째 의미, 즉 "여러
분야가 결합한 학문"이라는 층위와도 연결된다. 문화인류학은 분과
학문으로서 분명한 연구 대상과 연구 방법론을 가지고 있다. 즉 문
화인류학은 연구자가 알지 못하는 미지의 작은 세계에서 일어나는
문화 현상을 연구 대상으로 삼고, 학계 내부에서 합의된 문화기술
ethnography을 결과물로 도출하기 위한 연구 방법을 활용하기 위하여

---

11 Stuart Hall, 임영호 편역, 「문화연구의 두 가지 패러다임」, 『문화, 이
데올로기, 정체성』, 컬처룩, 2015, 153~157쪽.

연구자가 대상으로서의 '세계'에서 1년 이상 참여관찰을 수행해야 한다는 준칙을 제시했다. 문화연구는 기호학, 서사학, 정치학, 정책학, 커뮤니케이션 이론, 수용자 연구 등 다양한 학제가 상호작용하는 기반 위에서 연구를 수행해 왔다. 문화연구의 연구 대상은 대중문화로 분명하게 설정되어 있었으나 연구 방법론은 학제적 층위에서 운용되었다.

'콘텐츠'라는 개념 또한 역사적 흐름 위에 놓여 있다. 앞서 언급한 바와 같이 '콘텐츠'는 '작품'과 '텍스트'에 뒤이어 출현했다. 텍스트는 상호텍스트성과 파라텍스트 등으로 분화되면서 자기 한계를 극복하려고 했다. 이런 논리를 보완하자면, 텍스트 뒤에 출현한 더욱 막강한 개념은 '미디어'^{media}다. 미디어는 텍스트가 설명할 수 없는 논리, 즉 텍스트가 어떤 형식의 담지체를 통과하여 수용자에게 전달되는지에 관한 문제를 유용하게 다뤘다. 미디어 개념은 대중문화를 실어 나르는 도구로서, 대중문화 개념의 활발한 활용과 더불어 그와 쌍을 이루면서 20세기 후반에 집중적으로 사용되고 탐구되고 해석되었다. 미디어는 텍스트의 의미가 '작가'나 '텍스트 자체' 또는 '텍스트와 텍스트 사이'^{상호텍스트성} '텍스트와 주변물'^{파라텍스트}에서 형성되는 게 아니라, 생산자와 전달자 사이에 놓인 매개의 담지체가 갖는 형식에 의해 달라질 수 있음을 설명했다.[12]

'콘텐츠'는 이런 미디어 개념을 초월하면서 출판^{도서/신문/잡지} 필름^영

---

12 이에 관한 다양한 논의는 다음을 참조. John Fiske, 강태완·김선남 옮김, 『커뮤니케이션학이란 무엇인가』, 커뮤니케이션북스, 2008.

^화 방송^{라디오/TV} 등을 중심으로 한 기술 중심의 설명을 더욱 확장하려는 노력의 결과로 출현했다. 물론 거기에는 20세기의 도래와 더불어 모든 미디어를 블랙홀처럼 빨아들인 인터넷이라는 통합미디어의 출현이라는 배경이 있다. '콘텐츠'는 기존의 미디어 이론만으로 설명하기 어려운 다양한 미디어의 교차와 복합 현상을 기술적, 산업적 층위에서 더욱 잘 설명하기 위한 개념으로서 그 필요성을 만들어 냈다.

요컨대 20세기 이후 문화·예술적 생산물을 설명하는 용어는 작품-텍스트-미디어로 이어지다가 21세기의 시작과 더불어 콘텐츠 개념을 소환했다. '콘텐츠'는 생산과 유통, 수용의 과정을 모두 포괄하면서 그 과정 위에 다양한 의미가 복합적이고 산발적으로 존재한다는 사실을 설명하기 위해 필요한 개념이다. 그러므로 그것은 20세기 내내 대립해 온 텍스트주의와 맥락주의를 통합한다. 이에 따라 예의 "콘텐츠=텍스트+콘텍스트"라는 명제가 도출된다.

텍스트 개념은 작품 개념과 단절했고, 미디어 개념은 텍스트 개념을 포괄하면서 이를 넘어섰으며, 콘텐츠 개념은 미디어 개념을 포괄하면서 이를 초월한다. 콘텐츠 개념이 활성화한 지 20여 년이 지난 지금, 그것은 이제 '플랫폼' 개념과 경합 중이다. 주로 영상 콘텐츠 분야에서 활발하게 쓰이고 있는 플랫폼 개념은 협의의 문화콘텐츠가 경유하는 길목이라는 점에서 미디어 개념의 확장으로도 보이지만, 광의의 문화콘텐츠의 흐름 위에서 플랫폼의 중요성을 드러낸다는 점에서도 문제적이다.

여러 차례 강조한 바와 같이, 문화콘텐츠연구는 어느 날 갑자기

"하늘에서 뚝 떨어진" 학문이 아니다. 문화콘텐츠연구는 다양한 학문 분과와 학제적 연구를 포괄함으로써 시작되었다. 21세기와 더불어 시작된 문화콘텐츠연구는 철학, 문학, 역사학, 서사학, 기호학, 예술학, 경영학, 공학, 커뮤니케이션연구 등의 분야가 광범위하고 느슨한 방식으로 연대하면서 출발했다. 이런 상황은 문화콘텐츠연구가 탄생하게 된 현실적 맥락을 드러낸다. 이 학문 분야들은 문화콘텐츠연구를 선험적으로 전유하면서 '형성 중'인 학문을 구성해왔다. 그러나 문화콘텐츠연구는 '문화'를 중요한 분절 개념의 하나로 활용했지만, 20세기에 문화를 연구했던 문화인류학이나 문화연구와의 계승 관계, 즉 마땅히 설명되어야 할 학문적 맥락을 자의식적으로 드러내지는 못했다. 문화콘텐츠연구의 경험을 살펴보면, 20세기의 이들 학문적 경향의 다양한 영역이 삼투되어 있음을 알 수 있다. 철학, 서사학, 기호학 등의 분야가 문화콘텐츠연구를 구성했다는 점은 특히 이러한 사실을 잘 보여준다.

3   문화콘텐츠의 하위개념들

문화콘텐츠연구를 구성하기 위해서는 연구 행위를 중심으로 포진하고 있는 핵심 영역을 설정해야 한다. 연구 행위는 연구 대상, 연구 방법, 연구 관점, 연구 주체에 따라 구성된다. 문화콘텐츠연구의 대상은 물론 '문화콘텐츠'이다. 그러나 '문화콘텐츠' 자신이 신흥 개념이었기 때문에 지난 20년 동안 학자들은 '문화콘텐츠'가

무엇인지 그 개념을 설정하기 위해 노력해 왔다. 그것은 마치 문화
인류학의 탄생 이후 에드워드 타일러가 '문화'를 개념 정의한 뒤
에도 반세기가 지난 뒤 크뢰버^{Kroeber, A.L.}와 클럭혼^{Kluckhohn, C.}이 '문
화' 개념을 수집하고 정리하고^{1952년}13 다시 반세기가 지난 뒤에 볼
드윈^{Baldwin, John R.} 등이 그 개념을 또 정리했으며,14 문화연구자인
레이몬드 윌리엄스^{Raymond Williams} 또한 이러한 노력을 포함하여 '문
화' 개념을 역사적으로 정리하면서 동시대적 의미로 귀결하려는
노력15을 거듭해 온 기시감을 재경험하는 듯한 유사한 방식으로
다가온다.

이런 기시감은 문화콘텐츠연구는 자신의 연구 대상인 '문화콘텐
츠'가 무엇인지를 정의하는 학문적 노력을 게을리하지 말고 거듭
된 사고와 도전을 지속해야 하는 의무를 짊어져야 한다는 주장과
맞닿아 있다. 여러 차례 밝혀온 바와 같이 '문화콘텐츠'는 여전히
형성 중인 개념이자, 앞으로도 여전히 그 형성의 과정이 완수되지
않을 개념이다. '문화콘텐츠'가 형성 중인 개념이라는 말은, 그것이

---

13 Kroeber, A. L., & Kluckhohn, C., "Culture: a critical review of
    concepts and definitions," Papers. Peabody Museum of
    Archaeology & Ethnology, Harvard University, 47(1), 1952.

14 Baldwin, John R., Sandra L. Faulkner, Michael L. Hecht, and
    Sheryl L. Lindslery ed., *Redefining Culture: perspectives across
    the disciplines*, London: Lawrence Erlbaum Associates, Inc., 2006.

15 Raymond Williams, *Keywords: A Vocabulary of Culture and Society*,
    Harper Collins Publishers Ltd., 1983; 김성기·유리 옮김, 『키워드』,
    민음사, 2010, 123~131쪽.

새롭게 만들어지고 있다는 의미이자, 지속적으로 성장하고 있다는 의미이며, 끊임없이 변화하는 액체적 개념이라는 의미이다.

문화콘텐츠연구의 방법론을 논의하기 위해서는 무엇보다 연구대상인 '문화콘텐츠'가 무엇인지에 대한 논의를 충분히 수행해야만 한다. 방법론을 도구라고 설정한다면 그 도구를 활용하여 다루게 될 대상의 특성을 인식하고 이해하는 일은 필수적이다. 이 때문에 21세기 초 문화콘텐츠라는 용어가 처음 등장했을 때, 마치 그것이 '텅 빈 기표'와도 같이 놓여 있었을 때, 학자들은 거의 즉시적으로 그 기표의 기의를 충만하게 만들어 내기 위한 노력을 ^{자각적이든 비자각}^{적이든} 수행해 왔다. 그에 따라 문화콘텐츠를 설명하기 위해 다양한 '하위개념'^{subconcept}이 동원됐다. 문화원형, 문화코드, 문화기술, 디지털 콘텐츠, 스토리텔링, OSMU 등은 대표적인 사례들이다. 이런 하위개념들은 문화콘텐츠의 특정한 성격들을 설명하는데 원용되면서 연구 대상으로서의 문화콘텐츠를 다각적으로 정의하는 작업에 복무했다.

이런 학문적 경험 위에서 '문화콘텐츠'라는 용어가 갖는 함의를 몇 가지 측면에서 살펴볼 수 있다.

첫째, '문화콘텐츠'는 기존의 용어가 대체할 수 없는 새로운 개념을 구성한다. 문화에 관한 기존 용어는 문화라는 근본 개념과 대중문화, 문화산업, 문화기술 등의 파생 개념들로 제시된다. 이 용어들은 문화콘텐츠의 일부분을 구성할 수는 있지만, 그 자체로서 문화콘텐츠와 동일시될 수는 없다.

둘째, '문화콘텐츠'는 그럼에도 완전히 새로운 현상이라고 말할 수는 없다. 문화콘텐츠는 기존에 존재했던 문화 현상을 새롭게 인식하려는 시도다. 즉 출판, 영상, 전시, 게임 등 다양한 문화 장르의 텍스트가 만들어 내는 융합 현상에 대한 총칭의 필요성이 대두됨에 따라 등장한 용어이다.

셋째, '문화콘텐츠'는 이러한 텍스트들 사이의 상호텍스트적 intertextual 현상을 설명하기 위해 필요한 용어다. 기존에는 장르 텍스트를 독립적으로 설명하려는 경향이 강했으나 문화콘텐츠는 이들이 단절적으로 존재한다고 여기지 않고, 그 사이의 영향 관계와 연결 관계의 중요성을 인식하고 그 설명 방식을 도모한다. 그 과정에서 미디어 개념을 자주 원용하게 된다.

넷째, '문화콘텐츠'를 설명하는 이러한 과정에서 기존의 텍스트 또는 미디어 개념은 '콘텐츠' 개념으로 진화한다. 따라서 콘텐츠는 앞서 말한 바와 같이 텍스트와 콘텍스트의 결합이라고 정의할 수 있다. 텍스트 개념은 생산자로서의 작가, 수용자로서의 관객/독자를 배제한 개념으로 운용된다. 그러나 콘텐츠는 생산자와 수용자를 텍스트와 다시 연결하고 일련의 흐름 속에 텍스트를 위치케 함으로써 미디어를 불러낸다. 그것은 역사적으로 '작품'과 '텍스트' '미디어'의 뒤를 이어 나타난 동시대적 문화 생산물의 형태로서 콘텐츠를 제시한다.

따라서 문화콘텐츠연구의 대상으로서 '문화콘텐츠'는 광의의 개념과 협의의 개념을 갖는다. 광의적으로 그것은 문화콘텐츠의 생산과 수용을 아우르는 개념이다. 생산을 위한 기획, 제작의 단계, 유통을 위해 필요한 미디어, 마케팅, 플랫폼의 설정 단계, 수용을 위한 소비의 단계를 모두 포괄하는 개념이 된다. 광의의 문화콘텐츠는 기획부터 제작, 유통, 수용, 환류$^{feed\ back}$라는 흐름을 포괄한다. 그 포괄성은 랑그로서의 문화콘텐츠의 층위를 만드는 기반이 된다.

협의적으로 그것은 기획과 제작의 결과로 제시된 특정한 개별적 혹은 복수적 생산물을 일컫는다. 이들은 모두 파롤로서의 문화콘텐츠가 된다. 협의의 '문화콘텐츠들'은 콘텐츠들 사이의 상호작용과 간섭작용을 통해 다양한 흐름과 가치사슬을 만들어 낸다. 따라서 OSMU, 트랜스미디어 등의 개념은 이를 설명하기 위해 동원되는 중요한 하위개념이 된다.[16]

그러므로 '문화콘텐츠'라는 개념은 그 자체로서 선하거나 악한 개념이 아니라 가치 중립적이다. 이런 주장은 문화인류학이 제국주의를 위해 복무한 전과가 있는 학문이라는 점에서, 문화연구가 좌파 이데올로기의 경향성을 강하게 내포한 문화주의^{culturalism}를 강조한 학문이었다는 점과 비교하여 문화콘텐츠연구는 상대적 중립성을 가진다는 점을 강조한다. 문화콘텐츠연구는 문화산업과 문화기술을 중요하게 여기지만, 그렇다고 이들의 가치를 환원주의적으로 설명하지는 않는다. 산업과 기술은 기존의 문화에 대한 학문적 관심이 주목하지 못했던 영역을 새로운 시대의 도래와 더불어 포괄

---

16 이와 관련하여 나는 '문화콘텐츠'라는 용어가 중국어로 번역될 때 의미가 다소 모호한 '文化內容'이라는 용어를 취하기보다는 광의의 경우에는 '文化創意産業'으로, 협의의 경우에는 '創本'으로 구별할 필요가 있다고 주장한다. '創本'이란 '텍스트'를 중국어로 '文本'으로 옮기고 있는 점에 착안한 신조어이다.

하기 시작했다는 의미를 가질 뿐이다.

4 문화콘텐츠연구의 과제

다시 강조하건대 문화콘텐츠연구의 방법론은 연구 대상과 연구 관점, 연구 주체의 문제와 긴밀하게, 복합적이고 유기적으로 연관 돼 있다.

'방법론'^{methodology}이라는 말은 1800년대 이후 집중적으로 쓰이기 시작하면서 "특정 학문이나 연구의 방법을 다루는 지식의 한 분야"를 일컫는 말로 여겨져 왔다. 때로 그것은 "방법에 관한 논문"을 가리키기도 하고 "체계적인 분류"를 뜻하기도 하며, "경험적 연구의 방향과 의미" 또는 "이를 위해 사용된 기술의 적합성에 대한 연구" "연구 분야에서 사용되는 방법 또는 그 본체"를 의미하기도 한다.[17]

근대 이후 학문의 분화와 더불어 '과학'^{科學}이 탄생한 이후, 방법론은 특정한 분과학문을 규정하기 위한 중요한 조건으로 인식되었다. 인문과학, 사회과학, 자연과학으로 분류된 '과학'은 크게 질적 연구 방법론과 양적 연구 방법론을 범주화하면서 학문의 성격에 따라 특정한 방법론을 채택해 왔다. 주지하는 바와 같이 인문과학

---

17 Oxford English Dictionary, 'methodology' 항목.
     https://www.oed.com

은 질적 연구 방법론을, 자연과학은 양적 연구 방법론을 채택했으며, 사회과학은 분과에 따라 또는 연구의 특성에 따라 질적 연구 방법론과 양적 연구 방법론을 혼용하는 경향을 보여왔다. 연구 방법론을 특정하는 경향은 분과학문의 요구에 따른 결과였다. '분과학문' 자체가 연구 대상과 연구 방법을 특정함으로써 구성된 개념이다.18

그러므로 앞서 말한 바와 같이 문화콘텐츠연구의 대상이 문화콘텐츠이고 그것이 "기획과 제작의 결과로 제시된 특정한 개별적 혹은 복수적 생산물"이자 "생산을 위한 기획, 제작의 단계, 유통을 위해 필요한 미디어, 마케팅, 플랫폼의 설정 단계, 수용을 위한 소비의 단계를 모두 포괄하는 개념"이라는 점을 인정한다면, 또한 그것이 "철학, 문학, 역사학, 서사학, 기호학, 예술학, 경영학, 공학,

---

18 이런 주장에도 불구하고 양적 연구와 질적 연구는 분과학문 안에서도 다양하게 상호작용하고 있다. 카를로 진즈부르그는 중세 미시사 연구에서 양적 연구와 질적 연구를 대립 관계로만 간주해서는 안 된다고 주장한 바 있다. "필자의 의도는 계량적 연구와 질적 연구를 상호 대립의 관계로 규정하는 것은 아니다. 그보다는 종속 계급의 역사에 있어서 계량적 연구가 보여주는 엄격한 결과는 질적 연구의 저 악명 높은 인상주의 없이는 불가능하다는 것을 강조하려고 한다.다시 말해서 질적 연구 없이는 아직은 안 된다는 것이다. '프로그램화되지 않은 모든 문헌들을 무시하면서 하나의 순환적인 요인을 지겹도록 되풀이하는 컴퓨터의 거칠고 반복적인 인상주의'에 대한 에드워드 톰슨의 반박은 컴퓨터가 사고하지 않고 실행할 뿐이라는 의미에서 볼 때 말 그대로 사실이다. 다른 한편으로는 일련의 철저한 연구만이 컴퓨터에 이용될 프로그램의 발전을 가능하게 할 수 있다." Carlo, Ginzburg, 김정하·유제분 옮김, 위의 책, 43~44쪽.

커뮤니케이션연구 등의 분야가 광범위하게 연대"해 온 현실적 과정이라는 점을 인정한다면, 우리는 문화콘텐츠연구가 분과학문이 아니며, 최소한 학제적 연구^{interdisciplinary studies}로서 존재할 수밖에 없으며, 더 나아가 초학제적 연구^{transdisciplinary studies}로서 수행되어야만 한다는 점을 승인해야 한다. 학제적 연구가 다양한 연구 대상과 방법론이 상호작용하는 장^{field}을 의미한다면, 초학제적 연구란 '학제'라는 개념과 층위 자체를 초월하는 방식으로 이들이 다양한 경로로 연결, 접합, 이행, 이식, 탈궤하는 현상을 비교, 분할, 전이, 융합, 초월함으로써 수행되는 역동적인 수행의 장을 의미한다.

이런 주장은 결국 문화콘텐츠연구의 방법론의 해방을 추구해야한다는 당위론으로 귀결되는데, 물론 그것만으로 지금의 논의를 포화 상태에 이르게 할 수는 없다. 연구 방법은 도구적 개념이다. 도구는 대상을 잘 다룰 수 있다면 그것만으로 선한 역할의 수행을 완료한다.

이 지점에서 도구와 대상을 관계 맺어주는 중요한 또 다른 층위인 '목적'의 문제를 제기하지 않을 수 없다. 연구 목적은 연구과제와 긴밀한 관계를 맺는다. 문화콘텐츠연구의 과제는 무엇인가? 문화콘텐츠연구를 구성하는 연구의 주체들, 이른바 '학계'는 무엇을 최종적인 학문적 과제로 제시하는가? 이에 대한 검토가 이루어지지 않는 한, 문화콘텐츠연구의 방법론에 관한 논의는 당위론적 주장을 맴돌 수밖에 없을 것이다. 그러므로 문화콘텐츠연구는 무엇을 위해 존재하는가, 무엇을 위해 복무하는가, 무엇을 학문의 최종적 과제로 삼는가에 관한 근본적 논의가 수행되어야 할 필요가 있다.

문화콘텐츠는 기획, 제작, 유통, 향유라는 통합체로 구성된다. 기획은 문화자원, 자본투자, 기술원용, 구조분석, 생산의 결과와 유통 및 수용 등 '전체'로서의 과정을 예측하는 단계다. 제작은 기술, 산업, 정책, 경험, 구조, 상상 등을 포괄하는 단계다. 유통은 경영, 관리, 미디어, 마케팅, 플랫폼에 관한 문제를 실행하는 단계다. 향유는 수용, 소비, 심리, 반응, 팬덤, 비평 등으로 범주화되는 단계다.

통합체로서의 문화콘텐츠는 이와 같은 계열체의 선택 과정을 통해 랑그로서의 문화콘텐츠를 파롤로서의 문화콘텐츠로 존재하게 한다. 이러한 맥락 위에서 문화콘텐츠연구는 문화콘텐츠 생산의 실천, 수용의 실천은 물론 문화콘텐츠의 구조, 사회·역사적 맥락 등을 모두 밝혀내야 하는 총체적 과제를 떠안고 있다.

문화콘텐츠는 21세기를 대표하는 동시대적 현상임을 인정하고, 일상생활의 영역에서 작동해 온 전통적이고 아날로그적인 방식의 문화인류학적 의미의 '문화'가 대중매체에 의해 국가적 범위, 혹은 국제적[international] 범위에서 유통되던 '대중문화'의 시대를 거쳐 오늘에 이르렀음을 살펴보는 전제 위에서 적어도 다음과 같은 연구과제를 수행해야 한다.

첫째, 문화콘텐츠[langue]의 원리와 다양한 형태 및 장르의 문화콘텐츠들[parole]의 관계에 주목해야 한다. 모든 '문화콘텐츠들'에 보편적으로 작동하는 문화콘텐츠의 원리가 무엇인지 밝혀내고 그에 따른 개별 현상을 설명할 수 있는 일반적인 법칙을 구성하는 과제가 그것이다.

둘째, 문화콘텐츠는 동시대적 현상이다. 동시대적 범주 안에서 문화콘텐츠의 생산과 수용의 맥락을 구성하는 과제가 중요하다. 문화콘텐츠 기획, 제작, 수용의 각 현상을 살펴보는 과제는 모두 동시대적 맥락 위에서 수행되어야 한다. 동시대적 맥락이라는 함의는 당연히 초국가적^{transnational} 맥락을 포함한다. 더불어 동시대적 맥락이라는 함의는 또한 생산과 향유의 과정에 놓여 있는 '콘텐츠 리터러시'$^{contents\ literacy}$라는 의제를 포함해야 한다.

셋째, 문화콘텐츠는 동시대적 현상이지만, 과거의 문화자원을 활용하는 방식으로 동시대화 작업을 수행하기도 한다. 따라서 문화자원을 어떻게 동시대적으로 재생산할 것인지에 관한 탐구 역시 문화콘텐츠연구의 중요한 과제다. 문화콘텐츠의 문화자원에 관한 관심이 역사 연구, 혹은 문화콘텐츠의 역사적 기술을 의미하는 것은 아니다. 물론 역사 연구는 문화자원 연구의 일부로 원용될 수 있다. 또한 문화콘텐츠의 역사적 기술은 현재로서는 '거의' 불가능한 작업일 수도 있다. 따라서 이 과제는 문화원형, 디지털콘텐츠 등과 같은 문화콘텐츠의 하위개념을 소환한다.

넷째, 문화콘텐츠의 원리에 따라 생산된 파롤로서의 문화콘텐츠가 갖는 구조에 대한 분석이 필요하다. 구조와 맥락은 문화콘텐츠연구에서는 더 이상 대립하는 개념이나 범주가 아니며 상호작용하는 흐름 위에 놓여 있는 통합적 개념이다. '문화콘텐츠들'의 구조분석의 경험 축적은 문화콘텐츠의 원리를 구성하는 역할을 수행하게 된다. 따라서 이 과제는 스토리텔링이라는 문화콘텐츠의 하위개념을 소환한다.

다섯째, 문화콘텐츠연구는 분과의 형식으로 존재했던 20세기의 다양한 학문의 경험을 초학제적으로 원용해야만 한다. 문화콘텐츠연구가 파롤로서의 문화콘텐츠에 관심을 가진다고 해서 그것이 곧 개별 장르콘텐츠를 고립적으로 인식한다는 의미는 아니다. 문화콘텐츠연구는 기존 학문 분과로서의 출판학, 영화학, 연극학, 미술학, 음악학, 건축학, 게임학 등의 범주를 벗어난다. 이 과정에서 문화콘텐츠연구는 문화콘텐츠의 가치사슬$^{value\ chain}$이 복합적으로 상호작용하는 흐름에 주목하면서 그 관계를 탐구하는 과제를 수행한다. 따라서 이 과제는 문화콘텐츠의 중요한 하위개념 중 하나로 다루어져 온 OSMU, 트랜스미디어 스토리텔링 등의 범주를 소환한다.

물론 이런 문화콘텐츠연구의 과제는 본질적인 것은 아니다. 시대의 흐름에 따라 변화 가능성이 있지만, 한 시대가 요구한 과제를 어떤 방식으로든 해결하지 못한다면, 이후의 새로운 과제를 제기하기 어려울 것이며, 설령 새로운 과제를 제기한다고 하더라도 그 발목을 잡을 수밖에 없을 것이다. 그러나 결국 이 모든 논의는 문화콘텐츠연구가 어떤 가치를 지향해야 하는지에 대한 학문적 목표와 긴밀하게 연관돼 있다.

역사학자, 폭넓게 보면 인문학자는 과거를 관찰하여 이를 현재에 적용하려 한다. 정치학자나 경제학자, 폭넓게 보면 사회과학자는 현재를 관찰하여 현재를 설명하려고 한다. 공학자, 폭넓게 보면 자연과학자는 현재를 관찰하여 미래를 기획하려고 한다. 매우 거칠지만, 이런 해석에는 문화콘텐츠 연구자의 주체위치에 대한 물음이 들어있다. 문화콘텐츠 연구자는 역사학자이면서 정치학자이자 경제학자여야 하고 공학자여야 한다. 문화콘텐츠연구는 인문학과 사회과학, 자연과학을 포괄하는 과정을 통해서 과거와 동시대로서의 현재, 미래의 시간을 통합하는 흐름으로서 재편해야 하는 임무를 갖는다. 그것이 인간과 인간, 인간과 사회, 인간과 자연의 관계 속에서 만들어지는 문화콘텐츠를 설명하고 예측할 수 있는 가장 합리적인 선택이다.

동시대적 욕망의 분화구로서 문화콘텐츠는 뜨거운 생명력을 갖고 살아 숨 쉰다. 전지구적 층위에서 생산되고 유통되는 무수한 파롤로서의 문화콘텐츠는 소쉬르의 선택대로 어쩌면 궁극적으로 연구되지 못할 수도 있다. 파롤로서의 문화콘텐츠를 흐름으로 간주할 때야 비로소 이들에게 생명이 부여될 것이다. 그러므로 문화콘텐츠연구는 끊임없이 연구 대상으로서의 문화콘텐츠가 무엇인지 고민하면서, 연구과제의 범주를 구획해 내고, 그에 따라 연구 방법을 해방의 층위에서 원용하고, 연구 주체의 주체성을 결합함으로써 그 위치를 만들어 나가야 한다.

제6장

문화콘텐츠의 사회 기능

■■■■

　문화콘텐츠는 용어의 태동과 더불어 자신의 개념을 충족해야 할 필요를 해결하기 위해 '인문콘텐츠' 담론을 만들어왔다. '인문콘텐츠'는 문화콘텐츠 연구의 핵심 담론이 되었다. 인문정보학, 문화산업과 인문학, 문화기술과 인문학, 문화원형과 디지털콘텐츠, 한류의 인문학적 해석, 인문콘텐츠 교육과 인력 양성, 인문학적 스토리텔링, 도시재생과 인문콘텐츠, 디지털 인문학 등 방계 담론을 형성했다. 이들은 문화콘텐츠를 설명·기획·전망하는 중요한 핵심 개념과 범주로 이해됐다. 그러나 문화콘텐츠를 인문콘텐츠로 등치하는 과정에서 문화에 대한 근대 학문의 성과가 온전히 계승되지 못한 측면도 있다. 문화콘텐츠는 예술의 층위, 사회과학 층위의 문화, 학제적 층위의 대중예술/대중문화라는 개념과 범주를 계승하면서 또한 독창적 범주를 만들어가야 한다. 문화콘텐츠는 '사회콘텐츠' 담론을 형성해야 한다. 이를 위해 우선 문화콘텐츠의 기능을 확인해야 한다. 문화콘텐츠는 오락-유희 기능, 정보-지식 기능, 공동체 유지 기능, 문화유산 전승 기능 등을 담당한다. 사회콘텐츠는 문화콘텐츠를 관계 중심으로 사고하게 한다. 이는 문화콘텐츠가 대중문화와 달리 복수의 생산물이 플랫폼을 통한 매개, 동시적 매개, 양방향 유통, 가역적 향유의 특성을 갖기 때문에 가능하다. 사회콘텐츠는 주체-타자 담론을 형성한다. 그 중요한 기능 중 하나는 '돌봄'이다. <내일은 미스터트롯> <아기상어>는 '돌봄콘텐츠'의 가능성을 보여주는 중요한 사례다. 돌봄콘텐츠는 '돌봄' 행위가 갖는 윤리성, 사회성을 바탕으로 문화콘텐츠의 역할을 확장하는 중요한 개념이 될 수 있다.

문화콘텐츠 개념이 처음 출현했을 때, 도대체 '콘텐츠'가 무엇인가라는 물음에 직면한 것은 당연한 일이었다. 학자들은 '콘텐츠' 개념을 설명하기 위해 다양한 방법을 동원했는데, 그 가운데 하나가 바로 '콘텐츠'와 쌍을 이루는 '문화' 개념을 통해 '문화콘텐츠'라는 복합 개념을 규정하려는 노력이었다. 이는 문화와 콘텐츠가 상호 관계를 형성한다는 사실을 강조하면서 상대적으로 분명하게 확립되지 않았던 콘텐츠를 개념화하기 위한 시도였다.

이때 '문화'는 문화콘텐츠의 기초를 정립하기 위한 중요한 개념으로서 곧 '인문'으로 이해되고 주장되었다. '문화콘텐츠'는 곧 '인문콘텐츠'로 등치되어 학문 담론을 생산하게 되었다. 앞서 살펴본 대로 인문콘텐츠학회의 성립과 학술지 『인문콘텐츠』 창간은 표상적인 사건이었다. 『인문콘텐츠』는 이후 문화콘텐츠연구의 중요한 진지가 되었고, 이 분야의 학문 발전을 위해 크게 공헌했다. 이 과정에서 '인문콘텐츠'는 문화콘텐츠를 설명하는 중요한 개념이자 담론 형성의 역할을 담당했다.

1 '인문콘텐츠' 담론을 넘어서

인문콘텐츠 담론은 당연히 인문학을 기반으로 하는 문화콘텐츠를 설정한다. 그 배경을 소극적 측면에서 살펴보면 인문학의 위기 담론을 전제로 한다. 21세기 전환의 시기에 전통적으로 학문의 본류라고 여겨졌던 인문학이 위기를 맞이했고, 위기를 타개하기 위한 출구로서 '인문콘텐츠'가 역할을 해 줄 수 있다는 판단이 개입되었다. 예컨대 『인문콘텐츠』의 창간사는 이렇게 시작한다.

> 인문학의 힘은 어디에서 오는가. 여러 해 전부터 우리 사회 일각에서 인문학의 위기에 대한 논의가 활발하게 전개되었다. 그 논의 가운데에는 이 위기가 인문학의 위기라기보다 인문학자의 위기라는 지적도 있었다. 그러나 돌이켜보면 인문학이 위기에 처하지 않은 때가 있었을까. 우리 역사 속에서 근현대만 놓고 보아도 과학기술 중심의 서구 문물이 동양을 압도하면서 전통적인 인문학은 수세에 몰릴 수밖에 없었으며, 해방 이후 또한 법학, 정치학, 경영학같은 현실적인 처세 중심의 학문이나 의학, 공학 같은 실용적인 학문들이 인기를 누려왔다. 사실 인문학은 그 속성상 언제나 위기에 처할 수밖에 없으며 그러한 일상적 위기 상황이야말로 인문학을 발전시키는 토양은 아니었을까?[1]

이후 '인문콘텐츠'는 총론에 대한 논의는 물론, 적극적인 진화를

---

1 김교빈, 「창간사」, 『인문콘텐츠』 창간호, 2003.

통해 다양한 방계 담론을 만들어 냈다. 인문정보학, 인문학과 문화산업, 인문학과 문화기술, 문화원형과 디지털콘텐츠, 한류의 인문학적 해석, 인문학적 스토리텔링, 인문콘텐츠와 도시재생, 인문콘텐츠 교육과 인력 양성, 디지털 인문학 등이 그것이다.[2]

요컨대 인문콘텐츠 담론은 인문학의 위기를 극복하면서 대안을 제시해야 하는 임무와 문화콘텐츠라는 신흥 개념을 구성해야 하는 임무를 동시에 수행해야 했다. 이 과정에서 인문콘텐츠는 '응용인문학'으로의 전환을 시도하면서 동시에 '디지털' 개념과의 융합을 실천하는 방법론을 선택했다. 이러한 임무를 수행하면서도 이른바 '인문 정신'이라는 가치를 놓치지 않으면서 인문학 본연의 역할을 통해 문화콘텐츠를 담론화하려고 했다. 이런 노력으로 '문화콘텐츠'는 텅 빈 기표를 채워갈 수 있었다.

그러나 문화콘텐츠를 인문콘텐츠로 등치하는 과정에서 문화에 대한 근대 학문의 성과가 온전히 계승되지 못한 측면도 부인할 수 없다. 문화에 대한 근대 학문의 성과란, 즉 '문화'를 학문의 대상으로 삼아왔던 일련의 흐름을 말한다. 앞서 살펴본 대로 20세기 전반에 출현하여 문화에 관한 개념을 구성하면서 타자에 대한 이해와 설명을 목적으로 삼았던 인류학의 한 분과인 문화인류학, 20세기 후반을 주도했던 문화에 대한 계급적 구분을 타파하면서 영화와 텔레비전, 즉 대중문화와 대중매체를 주된 연구 대상으로 삼

---

2 주제별 담론의 논의는 이 책의 부록 「인문콘텐츠 담론의 주요 성과」 참조.

앉던 문화연구가 그것이다. 이들은 대체로 사회과학의 범주 안에서 학문적 정체성을 만들어왔다.

다시 말하면, 문화콘텐츠 담론의 시작이 인문콘텐츠에 경도되면서 문화에 관한 사회과학적 탐구의 결과를 충분히 계승하지 못하는 결과를 초래했다. 문화콘텐츠에서의 '문화' 개념에는 사회과학의 '문화' 개념이 포섭되지 못했다. 이에 따라 '인문' 개념을 중심으로 전개된 문화콘텐츠 담론은 결과적으로 인문, 문화, 예술, 대중문화 등의 개념에 대한 명쾌한 정리를 수행하지 못하고 혼란을 불러왔다. 이런 상황은 결국 문화콘텐츠의 개념과 정체성에 대한 혼란으로 이어졌다.

문화를 인간 집단의 이상적 삶에 대한 추구라고 정의할 수 있다면, 예술은 문화의 고도의 추상적 표현 형식이 된다. 문화와 예술을 병칭하는 관습이 자리 잡은 까닭은 예술이 고도의 심미적 기능을 수행하면서 문화의 내용과 형식을 충족해 왔기 때문이다. 따라서 근대 예술의 성립은 문화의 층위보다 상위의 돌출 개념을 만들었다. 근대 이후의 문화는 예술을 포괄하면서 동시에 대립적 범주를 구성했다. 이런 상황은 20세기 후반 예술의 대중화와 더불어 변화를 맞이한다. 즉 문화가 대중화 과정을 거친 바와 같이 예술 역시 대중화하면서 문화와 예술이 모두 대중 범주로 포섭되면서 더욱 강력한 친연 관계를 형성하게 된다. 이런 관계는 21세기에 이르러 문화콘텐츠라는 신흥 범주로 확장된다.

따라서 20세기 이후 문화 개념은 20세기 전반의 문화/예술, 20세기 후반의 대중문화/대중예술, 21세기의 문화콘텐츠로 변주된다.

그러므로 문화콘텐츠는 이들의 역사적 관계를 계승하는 개념이면서 동시에 대립적 범주로서 이해되어야 한다. 문화콘텐츠는 인문, 예술, 사회과학의 문화를 포괄하고 계승하는 과정에서, 이들과는 다른 새로운 개념을 만들어 내야 한다는 자의식을 충분히 내면화하지 못한 것이 사실이다. 문화콘텐츠는 인문이나 문화 그 자체가 아니며, 예술 그 자체가 아니며, 대중문화나 대중예술 그 자체가 아니다. 만일 문화콘텐츠가 인문/문화/예술/대중문화/대중예술과 동일한 개념이라면, 우리는 굳이 '문화콘텐츠'라는 용어를 쓸 필요가 없다.

문화콘텐츠는 "문화원형$^{cultural\ archetype/CA}$ 또는 문화자원$^{cultural\ resource/CR}$에 문화기술$^{cultural\ technology/CT}$을 결합하여 기획, 제작한 생산물^{content}을 문화산업$^{cultural\ industry/CI}$의 사슬 안에서 직접 또는 간접적인 문화플랫폼$^{cultural\ platform/CP}$을 통해 유통하고, 이를 문화적으로 향유$^{cultural\ enjoyment/CE}$하는 현상"이라고 정의할 수 있다.

이런 정의는 문화콘텐츠가 인문, 문화, 예술, 대중문화, 대중예술, 문화산업, 문화기술 등의 20세기적 문화의 범주를 모두 계승함과 동시에 이들과 대립하면서 21세기적 범주를 형성하고 있음을 드러낸다. 그러므로 문화콘텐츠 담론은 작가주의 예술에서 대중예술$^{pop\ art}$로 이어지면서 산업화와 기술화를 중개함으로써 이후 문화콘텐츠의 가능성을 열어젖힌 예술의 역사적 변화에 주목하여 관련 논의를 수행해야 한다.

또한 사회과학의 '문화'는 문화 본연의 개념 논의, 타자에 대한 관찰과 해석이라는 과제, 문화기술적^{ethnographic} 방법론의 활용과 더불어문화인류학 문화현상 내부에 은밀하게 작동하는 권력관계, 대중매체가 생산하는 의미 구조, 계급/젠더/인종을 둘러싼 문화정체성 문제 등을 탐구하는 경향문화연구을 보여주었다. 문화콘텐츠 담론은 이런 학문적 경향을 적극적으로 계승해야 한다.

나아가 문화를 새롭게 설명하기 위해 20세기에 등장한 개념인 문화산업과 문화기술의 층위에서 문화콘텐츠의 개념과 범주를 설정하고 구상해야 한다. 문화산업은 문화콘텐츠의 생산과 유통을 위한 중요한 존재 양식이며, 문화기술은 문화콘텐츠의 존재를 돕는 도구가 된다. 문화산업과 문화기술은 다양한 상호작용을 통해 문화콘텐츠의 미래를 열어준다.

문화콘텐츠를 이렇게 포괄적으로 이해하는 과정에서 우리의 인식과 실천은 우선 인문콘텐츠를 넘어서 사회콘텐츠로 나아가는 경로에 진입해야 한다. 인문학 기반의 문화콘텐츠 담론은 철학과 역사학, 문학의 전통 학문 경향을 통해 문화콘텐츠의 인문 정신 가치를 수립하고, 문화유산의 동시대화, 스토리텔링의 구조와 매개에 관한 노력을 거듭해 왔다. 그러나 이제 인문학 기반 문화콘텐츠의 구체적인 사례와 성과를 축적함과 동시에 '사회콘텐츠' 담론을 만들어야 할 필요가 있다.

2 문화콘텐츠의 기능

문화콘텐츠는 이제 인문학 제재의 디지털화에 대한 노력과 더불어 예술과 사회과학 층위의 문화 개념을 포섭해야 한다. 이는 문화콘텐츠가 심미적 요소와 더불어 예술의 산업화와 기술화 문제에 관심을 가져야 한다는 뜻이다. 또한 문화가 형성되고 유동하는 과정에서 주체와 타자의 관계를 문제 삼았다는 사실에 더욱 주목해야 한다는 뜻이다. 나아가 문화가 구성하는 의미가 어떤 사회적 구조와 관계 속에서 발산되는지를 문제 삼아야 한다는 뜻이기도 하다. 이런 일련의 논의들이 문화콘텐츠와 연결되면, 결국 문화콘텐츠가 어떤 사회적 기능을 위해 복무해야 하는가에 대한 물음이 부상한다. 그러므로 그동안 문화콘텐츠 담론이 '기능'에 대한 논의를 충분히 수행하지 못했다는 성찰을 통해 새로운 논의를 전개할 필요가 있다.

첫째, 문화콘텐츠는 무엇보다 오락-유희 기능을 담당한다. 장르콘텐츠 형식으로 구성되는 문화콘텐츠의 가치사슬을 살펴보면 웹소설/소설, 웹툰/만화, 웹드라마, 애니메이션, 영화, TV-OTT 드라마, 뮤지컬, 콘서트, 게임, 축제, 테마파크 등에 이르기까지 대체로 사회적 맥락에서의 강력한 오락-유희 기능을 담당하고 있다. 오락-유희는 문화콘텐츠의 핵심 기능이다. 문화콘텐츠는 대중문화의 수용-소비자와 달리 향유자의 적극적인 역할을 통해 오락-유희 기능을 완성한다.

둘째, 문화콘텐츠는 정보-지식의 유통 기능을 담당한다. 팟캐스트로 대표되는 오디오콘텐츠, 유튜브로 대표되는 사용자 창작 영상콘텐츠, 박물관과 전시관 중심의 전시콘텐츠, 이모티콘 캐릭터 등은 모두 정보와 지식의 생태계를 구축한다. 문화콘텐츠는 정보와 지식의 양적 폭발을 가져왔으며, 이러한 양적 변화, 즉 문화콘텐츠의 출현으로 인해 정보와 지식 생태계의 상위에 자리 잡은 학문 연구의 질적 변화를 유도하게 될 것이다. 정보-지식 생산과 유통 기능은 교육 기능을 핵심적으로 포함한다.

셋째, 문화콘텐츠는 공동체 유지 기능을 담당한다. 지역을 중심으로 기획되는 축제는 공동체 유지 기능의 대표 사례다. 최근에는 문화콘텐츠의 범주가 확장되면서 도시재생 또는 마을만들기 등이 중요한 의제로 설정되었다. 이들은 모두 문화콘텐츠가 문화공동체의 유지와 전승을 위해 중요한 역할을 할 수 있다는 사실을 보여 준다.

넷째, 문화콘텐츠는 문화유산의 전승 기능을 담당한다. 문화유산의 디지털화는 문화유산의 역사적 전승을 위한 동시대적 과제가 되었다. 문화유산의 디지털화는 역사학을 바탕으로 한 인문콘텐츠의 중요한 의제이기도 하다. 문화유산이 가지고 있는 시간적, 공간적 한계를 극복하면서 이를 대중화함과 동시에 보존과 전승이라는 과제를 실천하는 과정이 될 수 있다.

이렇게 볼 때, 문화콘텐츠를 문화적으로 향유한다는 말은 개인적 층위의 향유만을 가리키지 않는다. 문화콘텐츠는 개인적 층위에서도 충분히 기능을 수행할 수 있지만, 나아가 집단적, 사회적 층위의 기능을 수행한다. 문화콘텐츠에 대한 이런 이해를 통해 우리는 문화콘텐츠가 '예술콘텐츠' '인문콘텐츠' '대중콘텐츠' '사회콘텐츠'라는 개념과 범주로 연결되어 있다는 사실을 인식하게 된다.

3 '사회콘텐츠'와 '돌봄콘텐츠'

그중에서도 '사회콘텐츠'는 문화콘텐츠를 관계 중심으로 사고하게 한다. 문화콘텐츠는 개인과 개인, 개인과 집단, 집단과 집단의 관계 속에서 형성된다. 앞서 살펴본 문화콘텐츠의 기능은 이런 관계들을 구체적이고 실증적으로 보여준다. 문화콘텐츠가 '사회콘텐츠'가 될 수 있는 근거는 대중문화와 문화콘텐츠를 대립적 범주에서 살펴봄으로써 마련된다.

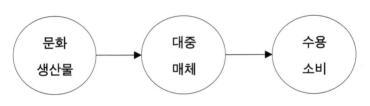

[그림1] 대중문화의 유통 구조

20세기 후반의 핵심 개념이었던 대중문화는 [그림1]과 같은 유통 구조로 구성된다. 대중문화는 문화생산물/문화상품이 일방향으로 유통하는 구조를 형성한다. 대중매체는 단일 문화생산물을 순차적으로 매개하는 특징을 갖는다. 수용-소비자는 이 문화생산물을 비가역적으로 수용-소비하게 된다.

그러나 21세기의 신흥 개념인 문화콘텐츠는 [그림2]와 같이 복수의 문화생산물이 '플랫폼'을 통해서 매개되는 특성을 갖는다. 문화생산물은 양방향으로 유통되면서, 동시에 매개된다. 또한 향유자는 복수의 문화생산물을 가역적으로 향유하는 특성을 갖는다.

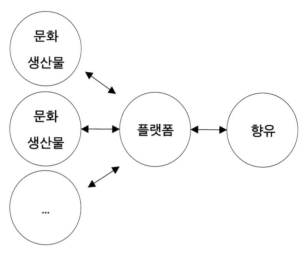

[그림2] 문화콘텐츠의 유통 구조

　이와 같은 문화콘텐츠 유통 구조를 통해 볼 때, 문화생산물의
복수화, 미디어를 대체하는 플랫폼이라는 형식, 향유자의 가역적
향유라는 특성을 통해 사회콘텐츠로서의 관계와 의미를 만들어 낸
다. 복수의 생산물이 플랫폼에 의해서 매개된다는 말은 시간의 장
애 없이 언제든 향유가 가능하다는 의미이며, 생산자와 수용자 모
두 주체가 된다는 의미이다. 이 과정에서 주체와 객체의 관계는 소
멸되며, 주체 담론은 오히려 문화콘텐츠를 매개로 하는 주체-타자
담론으로 전환하게 된다.

　주체와 타자의 관계 설정이라는 인식의 전환은 사회콘텐츠로서
의 가능성을 더욱 구체화한다. 사회콘텐츠는 문화콘텐츠가 갖는 사
회적 관계를 설명하는 담론이 될 수 있다. 인간 집단의 사회 기능
은 공동체를 유지하는 일이 핵심이다. 공동체 유지를 위한 사회적

기능 가운데 문화콘텐츠는 '돌봄' 기능을 수행할 수 있다.

> 돌봄 관점에서 보면, 인간은 정의와 권리의 관점에서 간주하듯 개
> 인주의적이며 자율적인 합리적 행위자가 아니라, 관계적이며 상호의
> 존적이다. 이러한 관계적 관점은 인간의 도덕적 성장의 측면에서 볼
> 때 좀 더 나은 인간관이다. 우리는 이러한 인간을 개인으로서, 또한
> 정의로운 정치적, 법적 제도를 위한 권리의 담지자로서 다룰 것을 결
> 정할 수 있다.[3]

문화콘텐츠는 때로 '골방' 주체를 양산할 수 있다는 오해를 만
들어 낼 수 있다. 영화를 예로 들어 보면 골방에서 수용-소비하는
대중문화의 물리적 플랫폼이었던 극장 체험이 비록 타자와의 소통
자체를 의미하지는 않지만, 동일 시간과 동일 공간의 공동 경험을
가능하게 함으로써 더욱 유의미하다는 판단을 유도할 수도 있다.
그러나 플랫폼 개념의 출현과 사회관계망[SNS]의 발달은 관객성을 새
롭게 구성하는 장치이자 매개체로 작동하고 있다. 문화콘텐츠는 바
로 이러한 사회적 관계망에 의존하면서 사회콘텐츠로서의 위치를
만들어 가고 있다.

예컨대 〈내일은 미스터트롯〉[TV CHOSUN:2020]은 대중의 관심을 통해
중장년 골방 주체를 위한 '돌봄콘텐츠'가 되었다. 성은혜 등은 '신
중년' 여성이 "강한 결집력을 바탕으로" 이 프로그램에 대한 팬덤
을 형성하고 "개인적 팬덤 활동"과 "사회적 팬덤 활동"을 수행하

---

3 Virginia Held, 김희강·나상원 역, 『돌봄, 돌봄 윤리: 개인적, 정치적,
  지구적』, 박영사, 2017, 144~145쪽.

였으며, 이런 팬덤 활동이 '사회적 지지' 즉 "삶의 의미를 구성하는 의미 발견, 의미 추구에 모두 긍정적인 영향을 미쳤다"는 점을 밝혀냈다.4

<내일은 미스터트롯>은 TV 프로그램으로 편성되어 인기를 얻은 뒤, 방송 영상을 분할하여 유튜브에 탑재하고, 수상자를 중심으로 현장 콘서트를 기획하는 등 OSMU 전략을 수행했다. 이 프로그램의 인기는 유튜브에서 '미스터트롯'을 검색어로 하여 정렬 기준을 조회수로 설정한 검색 결과를 보면 확인할 수 있다. 검색 결과 임영웅의 '어느 60대 노부부 이야기' 방송 영상은 무려 5,615만 회의 조회수를 기록했다.5 뒤이어 영탁의 '막걸리 한잔'이 3,078만 회,6 임영웅의 '울면서 후회하네'가 2,547만 회를 기록했다.7 '어느 60대 노부부 이야기'의 영상에는 39,501개의 댓글이 달려있다. 댓글은 대부분 '감동' '감성' '감정' '마음' '가슴' '눈물' 등의 단어를 키워드로 삼아 작성되었다. 이를 통해서 우리는 이 영상콘텐츠가 음악이라는 주제를 활용한 서사로 중년 대중을

---

4 성은혜·이한아름·배소영, 「신중년 여성의 여가로서의 팬덤 활동과 사회적 지지, 삶의 의미 간의 구조적 영향 관계 연구: <내일은 미스터트롯> 팬덤을 중심으로」, 『관광학연구』 제45권 8호, 2021, 81쪽.

5 임영웅 유튜브 공식 채널, https://www.youtube.com/@LYW_official (검색일: 2024.1.15.)

6 TV조선 유튜브 공식 채널, https://www.youtube.com/@tvchosun (검색일: 2024.1.15.)

7 TV조선 유튜브 공식 채널, https://www.youtube.com/@tvchosun (검색일: 2024.1.15.)

정서적으로 돌보는 결과를 형성했다는 사실을 알 수 있다.

<상어가족>[핑크퐁:2015]은 유아 주체를 위한 돌봄콘텐츠로 기능하고 있다. <상어가족>은 2015년 처음으로 유튜브에 업로드됐으며, 이후 영어, 일본어, 중국어 등 20개 언어로 제작되었다. 기획·제작사인 핑크퐁을 기준으로 살펴보면, 현재 동요/동화콘텐츠 30,483개, 유튜브 구독자 약 1억 6천만 명, 유튜브 영상콘텐츠 조회수 총 약 865억의 기록을 보유하고 있다. 대표적인 콘텐츠인 <아기상어 체조>[Baby Shark Dance]는 2020년 전 세계 유튜브 조회수 1위에 올랐으며, 2022년 세계 최초 유튜브 누적 조회수 100억 뷰를 달성하며 기록을 만들었다.[8]

핑크퐁은 공식 웹사이트 전면에 "아이의 세상 모든 첫 경험을 즐겁게"라는 정신을 내걸고 유튜브, 애니메이션, 영화, 모바일 앱, 공연 등의 콘텐츠를 제작하고 있다. <아기상어 체조>는 2분 16초의 짧은 영상콘텐츠지만, 아동과 유아의 인지, 정서, 신체 발달에 큰 역할을 하는 것으로 판단된다. 문화콘텐츠는 다양하게 확장하고 발전하면서 더욱 많은 돌봄콘텐츠의 사례를 축적하게 될 것이다. 문화콘텐츠는 이제 '사회콘텐츠'이자, 돌봄콘텐츠로서의 기능에 주목할 필요가 있다.

돌봄은 "사회적 역량이자, 복지와 번영하는 삶에 필요한 모든 것을 보살피는 사회적 활동"으로 정의되며, "무엇보다도 돌봄을 중심에 놓는다는 것은 우리의 상호의존성[interdependency]을 인지하고

---

8 핑크퐁 공식 웹사이트 https://www.pinkfong.com (검색일: 2024.1.15.)

포용하는 것을 의미한다."9 이런 맥락에서 돌봄은 인간과 인간 사이의 윤리적 층위에서 이해되어 왔다.

버지니아 헬드Virginia Held는 돌봄을 도덕 이론의 층위에서 살펴보면서 실천, 가치, 정의 등의 관점에서 논의를 이어간다. 그의 논의는 사회의 층위로 확대되어 시장, 시민사회, 권리, 권력, 법, 지구적 맥락까지 다룬다. 그런 의미에서 그의 논의는 돌봄을 개인적이고 정치적이며 지구적인 의제로 간주한다.10

조앤 트론트Joan Toronto는 돌봄을 '대인 돌봄'caring for과 '정치적 돌봄'caring with로 구분하기도 했다. '대인 돌봄'은 "누군가를 신체적으로 직접 돌보는 행위를 포함"하며, '정치적 돌봄'은 "누군가의 안위를 염려하며 마음을 쓰는" 일이다.11

이런 논의는 모두 돌봄의 주체와 대상 사이에 맺어지는 윤리적, 정치적, 사회적 관계를 전제로 한다. 다니엘 잉스터Daniel Engster는 정치적 맥락에서 더욱 정교하게 돌봄 문제를 제기하면서 돌봄국가와 돌봄정부의 개념을 다룬다. 제도적이고 정책적 층위에서 돌봄의 수행이 지속적으로 수행되어야 한다는 것이다. 그에게 있어서 상호의존성은 '지속적'constant이어야 한다. 그는 이런 돌봄 논의를 국내

---

9   The Care Collective, 정소영 옮김, 『돌봄 선언』, 니케북스, 2021, 17쪽.

10   Virginia Held, 김의강·나상원 역, 위의 책.

11   Joan Toronto, *Caring Democracy: Markets, Equality, Justice*, New York University Press, 2013; The Care Collective, 정소영 옮김, 위의 책, 47쪽, 재인용.

정치, 경제정의, 국제관계 등의 맥락에서 이끌어간다. 그 논의 위로 젠더, 노동, 다문화 등의 다양한 맥락이 교차한다.[12]

이 가운데 '돌봄과 미디어'에 관한 논의에 주목할 필요가 있다. 이 논의는 돌봄과 문화콘텐츠를 다루는 우리의 논의와 가장 근접한 곳에 자리 잡고 있기 때문이다. 다니엘 잉스터는 "미디어 역시 사람들의 태도와 행동에 잠재적으로 강력한 영향을 미칠 수 있는 문화제도"라고 전제하고, "TV 프로그램은 돌봄과 사회 친화적인 행동에 기여할 수 있다"고 주장한다. 그의 논의에서 미디어는 돌봄의 관계를 '묘사'하고, 이야기와 실화를 통해 "사람과 공동체의 필요에 대한 관심을 끌어내며, 대중의 돌봄응답을 자주 불러일으"키며, "타인의 필요에 대해 관심을 기울이고 책임을 질 것을 권장할 수 있다"고 간주된다.[13] 그는 이런 문제의식을 바탕으로 미디어, 주로 텔레비전이 (1) 돌봄 기능에 도움을 주는지 그렇지 않은지에 관한 대립 (2) 돌봄을 위해 수행할 수 있는 간접적 기능 (3) 이런 기능을 강화하도록 할 수 있는 정부의 역할 등을 논의한다.[14]

이는 돌봄과 미디어를 연결하여 논의의 물꼬를 트고 다양한 측면의 사고를 통해 돌봄의 사회적 측면을 재고하게 하는 과정을 제시한다는 점에서 의미가 있다. 그러나 <내일은 미스터트롯>이나 <상어가족> 등의 콘텐츠 사례는 위에서 말한 세 가지 측면의 문

---

12 Daniel Engster, 김희강·나상원 역, 『돌봄, 정의의 심장: 돌봄 윤리와 정치 이론』, 박영사, 2017.

13 Daniel Engster, 김희강·나상원 역, 위의 책, 362~363쪽.

14 Daniel Engster, 김희강·나상원 역, 위의 책, 363~371쪽.

제를 이미 초월하고 있다고 여겨진다. 이들은 텔레비전과 같은 단순한 20세기적 미디어의 맥락에서 존재하지 않으며, 문화콘텐츠의 맥락 속에서 다양한 복수의 맞춤형^{customized} 생산물이 플랫폼을 통해서 양방향으로 또한 동시적으로 매개되면서 가역적 향유가 가능하게 된 사례다.

그러므로 단일 생산물의 층위를 넘어 복수의 OSMU 생산물의 층위에서, 미디어의 층위를 넘어서서 플랫폼의 층위에서, 대중문화의 층위를 넘어서서 문화콘텐츠의 층위에서 돌봄의 사회적 의미를 살펴본다면 이렇게 결론을 맺을 수 있다. (1) 문화콘텐츠는 돌봄 기능에 도움을 준다. (2) 문화콘텐츠는 돌봄을 직접적으로 수행할 수 있다. (3) 문화콘텐츠의 기능을 적극적으로 원용하여 돌봄 기능을 강화하도록 다양한 생산과 유통의 사례가 구상되고 실천되어야 한다.

제7장 보론

문화·환경·기술

의미작용과 지식 생산의 재구성

■■■

　20세기 인류가 직면했던 문제들은 많은 개념어로 드러났다. '근대'를 대표하는 이 개념들은 우리가 세계를 인식하고 설명하는데 중요한 틀로 작용했다. 그렇다면 21세기를 대표하는 개념어들은 어떻게 추출할 수 있을까? '문화' '환경' '기술'이라는 세 개념에 주목하려고 한다. 그것은 '근대'의 개념어들이 역사적이고 국면적인 상황에서 나타난데 반해 이 세 개념은 근본적이며 본질적이고, 자발적이고 포괄적인 특징을 갖고 있기 때문이다. 그러나 단일 개념이 독자적으로 존재할 때, 그것은 오늘날과 같이 복잡한 세계를 설명하기에 어렵다. 그러므로 이 개념들은 서로가 조우하면서 새로운 의미작용을 구성한다. 이같이 절합된 의미작용을 두고 이 글은 "개념은 외롭지 않다"Conception is not lonely고 말한다. 그러나 이들 사이에 조우하는 대립항으로서의 개념들은 현실적으로 많은 충돌과 갈등을 야기한다. 이는 문화와 환경 사이의 충돌, 환경과 기술 사이의 충돌, 문화와 기술 사이의 협조 또는 충돌 등으로 표현된다. 한국의 '천성산 도롱뇽 사건'이나 '제주 해군기지 건설 사건' 등은 대표적인 사례다. 그렇다면 이런 상황에서 우리는 어떤 방식으로 이 문제들을 해결해야 하는가? 이 글은 '문제 해결 거리'Distance for Solving Problem라는 개념을 새롭게 제기한다. '제도' '관습' '이념' '정서'로 포위된 '문제'를 해결하기 위해서, 우리는 문제로부터 가장 먼 거리에 떨어져 있는 '정서'에 대해 관심을 기울여야 한다. 이런 상황에서 우리는 어떠한 지식을, 어떻게 생산해야 하는가? 이것이 중요한 물음이다.

1 21세기의 키워드

20세기 인류가 직면했던 갖가지 문제들은 다양한 키워드로 표현됐다. 물론 '20세기'라는 시간 개념 또한 인간이 창조해 낸 임의적인 것에 불과하지만,[1] 그 실제적 영향력은 이미 보편적으로 확대된 상황이 되었다. 여러 가지 논란이 있음에도 불구하고 만일 우리가 20세기를 '근대'^{modern}의 세기라고 부를 수 있다면, '근대'와 뒤얽혀 제시된 수많은 개념어가 이를 방증한다. 인본, 자본, 민족, 국가,

---

1 '세기' 개념은 영어의 'century', 독일어 'Jahrhundert', 프랑스어 'siecle' 등과 같이 유럽어의 경우는 모두 '100^년'을 나타내는 말에서 유래한다. '세대', '시대', '100년' 등을 나타내는 라틴어의 'saeculum'에서 생긴 고프랑스어의 용례가 가장 일러 12세기에 이미 사용됐다. 근대어로서는 17세기 전반에 100년을 기준으로 하는 시대 표시로 사용됐다. '17세기'와 같은 서수로서의 연대표시도 같은 세기에 나타났다. 편찬위원회, 『종교학대사전』, 한국사전연구사, 1998, 664쪽.

식민, 제국, 주권, 주체, 여성, 계몽, 혁명, 과학, 대중, 매체, 위생, 시간, 공간…… 등의 개념어들. 이들은 일찍이 레이몬드 윌리엄스 Raymond Williams가 '문화' 및 '사회'와 연관된 '키워드'를 수집하고 해설하는 작업에 앞서 밝힌 바와 같이 "어떤 종류의 활동과 그 활동의 해석을 연결하는 중요한 단어"이면서 "어떤 사상 형태를 나타내는 중요한 단어"[2]라고 할 수 있다. 레이몬드 윌리엄스의 이와 같은 작업은 우리에게 세계를 이해하는 매우 중요한 단초들로서 키워드의 중요성을 설득력 있게 제시하고 있다.

앞서 제시한 개념어들은 모두 '근대'와 항용恒用되는 공기어共起語 /co-occurrence word들이다.[3] '근대'의 공기어들은 우리가 살아왔던 20세기를 설명하는 개념들로 자주 소환돼 왔고, 시간적 선후의 차이는 있었으나 학술의 층위에서나 일상의 층위에서 두루 문제적 개념들로서 논쟁의 중심에 있었다. 이 개념들을 어떻게 우리의 삶과 연관시켜 설명할 수 있는가라는 문제가 지난 세기 내내 학술적 관심사였으며, 그것들은 곧 우리가 세계와 인간을 인지하고 이해하며 해석하는 사고의 틀frame과 체계paradigm를 조직하고 그 내부에서 작동해 왔다. 이러한 작업의 축적을 통해서 우리는 더욱 성숙하고 정

---

2 Raymond Williams, *Keywords: A Vocabulary of Culture and Society*, Harper Collins Publishers Ltd., 1983; 김성기·유리 옮김, 『키워드』, 민음사, 2010, 22쪽.

3 세밀한 '공기어' 분석을 수행한다면 '근대'와 연관된 공기어 네트워크를 더욱 잘 확인할 수 있을 것이다. 공기어 네트워크의 분석 사례에 대해서는 다음을 참조. 김일환·정유진, 「공기어 네트워크와 사회 계층에 대한 관심의 트렌드」, 『한국사전학』 제18호, 2011, 7~38쪽.

교한 방식으로 세계 안에 내재한 모순과 갈등을 설명할 수 있었다. 그것은 때때로 우리의 사고와 삶을 더욱 전향적으로 진보하게 하는 결과를 가져오기도 했다. 그러나 '근대' 혹은 20세기는, 다시 돌이켜 보건대, 특정한 몇 가지 개념어들이 지배하는 시대는 아니었다. 그것은 앞서 말한 다종다양한 개념어들이 각축을 벌이는 경합의 장$^{\text{field of struggle}}$이었다. 근대는 사상적으로는 인본주의의 시대였고, 경제적으로는 자본주의의 시대였으며, 정치적으로는 제국과 식민, 차별과 은폐, 더불어 그런 구별에 대한 저항의 시대였고, 과학기술의 진보 또한 획기적으로 이루어진 시대였다. 전대미문의 격변기를 설명하기 위해 소환된 수많은 개념은 각자 구획된 틀 안에서 근대를 설명하고자 노력했다. 그러므로 '근대'를 중심으로 산포散布/scattered된 개념어들의 무게 중심은 다른 개념어들에 대하여 상대적 지위를 획득하게 된다.

그렇다면 우리는 이제 어떠한 키워드들로 '21세기'를 설명할 수 있을까? 21세기가 곧 근대 이후$^{\text{after-modern}}$인지 혹은 비/탈-근대 $^{\text{de-modern}}$의 시대인지, 혹은 이 여러 의미를 적절히 아우르고 있는 포스트모던$^{\text{post-modern}}$의 시대인지를 여기에서 명징하게 획분하려는 의도는 없다.[4] 그보다는 우리의 시대가 근대로부터 근대 이후로의

---

4 비록 사전적으로는 영어의 '포스트'^{post}라는 말이 '후' 後/after/behind라는 의미라고 주로 다뤄지고 있으나, 학술적 실천의 영역에서는 '비' 非/de/non '탈' 脫/escape '반' 反/anti 등의 의미가 중첩돼 있다고 간주된다. 사전적 의미에 관해서는 陸谷孫 主編, 『英漢大詞典』, 上海譯文出版社, 1993, 1417쪽 참조. '포스트 모더니즘'의 다양한 용어나 입장 등에 관해서는 다음 몇 권의 도서를 참조. 권택영, 『포스트모더니즘이란 무엇

이행기라는 점은 이론의 여지가 크지 않을 것이다. 요컨대 우리는 근대와 근대 이후, 탈근대, 포스트모던이 뒤얽혀 씨름하는 시대에 살고 있다. 그럼에도 우리의 인식 체계는 이미 '20세기'와 '21세기'라는 고정적인 시간 개념 — 근대 전후에 조작된 — 에 지배당하기 때문에 '21세기'는 마치 지난 세기와는 질적으로 단절된 무엇인 듯 받아들이게 된다. 여기서 사용하려는 '21세기'라는 말은 이와 같은 현실적 인식의 문제를 인정하는 전제 위에 놓여 있다. 그러므로 '21세기'라는 개념 자체에 어떤 절대적 권위를 부여하려는 바는 아니다.

다시 키워드의 문제로 돌아가서, 이 글은 우리 시대의 키워드로서 '문화'文化/culture '환경'環境/environment '기술'技術/technology이라는 세 가지 개념을 제시하고자 한다. 물론 이렇게 말한 뒤에 우리는 곧 중요한 질문에 맞부딪치게 될 것임을 안다. 그 질문이란 바로 "이들의 대표성은 어디에서 왔는가?"라는 것이다. '문화' '환경' '기술'은 매우 중요한 개념들이며 또 문제적이기도 하지만, 여전히 근대적 개념이면서 20세기의 논쟁적 개념이라고 할 수 있지 않을까? 앞서 말한 바와 같이 우리는 모종의 전환기에 놓여 있으며, 그런 의미에서 이 세 개념은 21세기라는 전환기를 대표할 수 있는 키워드일 수 있다고 간주된다. 이런 주장이 예언적인 것은 아니다. 다시 말하면, 향후 100년이라는 시간 내내 이 키워드들이 우리의 삶

인가?』, 민음사, 1990; 김욱동, 『모더니즘과 포스트모더니즘』, 현암사, 2004; 정정호·강내희 편, 『포스트모더니즘론』, 도서출판 터, 1989 등.

을 지배할 것이라고 주장하지는 않는다. 미래의 시간은 또 새로운 창조적 사건으로 점철될 것이며, 예상치 못한 패러다임으로의 전환이 일어날 수도 있다. 그러므로 이들은 지극히 현재적 개념이다.

그러나 이들은 동시에 전환기를 관통하면서 인류의 과거와 미래를 이어주는 개념이기도 하다. 이 키워드의 대표성은 어디에서 왔는가? 상술했던 기타 개념, 근대를 대표했다고 말한 수많은 개념은 모두 '하위개념'subconcept이다. 그들은 인류의 역사 발전 단계 속에서 자생적으로 혹은 자각적으로 등장했다. 따라서 인본과 자본, 식민, 제국 등으로 이어지는 이 개념들은 상대적 지위를 갖고 있다. 그러나 새로 제기되는 세 키워드는 인류의 역사를 관통하며 존재하는 문제적 개념들이다. 그것은 이 '말'들이 역사 속에서 늘 존재했다는 의미는 아니다.

'문화'는 인류 탄생 이래 존재해 왔던 의지적 행위를 가리키는 현상이다. '환경'은 인류가 모종의 원시 상태 혹은 자연 상태로 회귀하려는 태도를 가리킨다. '기술'은 인간 사회의 직선적 발전관을 대표하는 키워드로서 근대에서 포스트 근대로 전환해 가는 중요한 표지 가운데 하나다. 이와 같이 이들은 다른 개념과는 달리, 그 각각이 근본적fundamental이며, 본질적essential이며, 자발적spontaneous이고 포괄적comprehensive인 특성을 가진다. 주지하는 바와 같이 '문화'는 인류의 존재와 더불어 공존하는 현상이며, '환경'은 자연에 대한 인간의 태도를 나타내고, '기술' 역시 인류의 진보를 표상하는 현상이기 때문에 인간, 자연, 세계를 아우르는 개념이다. 그렇다면 이들은 모두 포스트 근대를 대표하는가? 포스트 근대는 '문화' '환경' '기술'이 상호 투쟁하는 현상이라고 말할 수 있다.

2 "개념은 외롭지 않다" 절합된 의미작용

독립적으로 존재하는 개념들은 단순하지 않고 복잡한 인간과 세계의 문제를 설명하지 못한다. 주지하다시피 고대 그리스의 이른바 자연철학자들은 세계의 근원이 특정한 요소에 있다고 설명했다. 탈레스^{Thales}는 물, 헤라클레이토스^{Heracleitos}는 불, 데모크리토스^{Democritos}는 원자, 피타고라스^{Pythagoras}는 수數를 주장했다. 비록 아리스토텔레스가 물, 불, 흙, 공기라는 '4원소'를 내세웠지만, 그 역시 이들을 상호 고립된 각각의 원소로만 보았을 뿐이다. 물론 자연철학자들의 노력은 "이 세계를 신이나 초자연적 힘의 활동에 의해서 설명하려고 한 이전 사람들의 노력으로부터 방향을 돌리려고 했다는 점"에서 의미를 부여할 수 있다.[5] 그럼에도 단일한 개념만으로 세계의 근원을 환원하려고 하는 시도는 더 이상 승인되기 어렵다. 앞서 말한 바와 같이 이미 우리가 살고 있는 바로 '이' 세계는 그러한 단일한 원리로만 회귀하기에는 너무나 복잡한 문제와 현상들로 뒤얽혀 있기 때문이다.

---

5 Sterling Power Lamprecht, *Our Philosophical Traditions: a brief history of philosophy in Western civilization*, New York: Appleton Century Crofts, 1955; 김태길 외 옮김, 『서양철학사』, 을유문화사, 1992, 24쪽.

물론 우리는 인간과 세계의 갖가지 현상을 설명하기 위해 언제나 무수한 개념어를 동원한다. 그 어떤 개념어도 이 복잡한 세계의 현상들을 독립적으로 설명하지는 못한다. 따라서 우리는 자주 단일한 개념들의 복합적 사용을 선호하게 된다. 근대 이후 인간은 수많은 복합 개념들을 만들어 왔다. 그렇다면 앞서 제기했던 세 가지 키워드를 복합적으로 사용할 때, 어떤 상황이 발생하게 되는지 살펴볼 필요가 있다. 예컨대 '문화' 뒤에 '환경'이 오는 경우와 '환경' 뒤에 '기술'이 붙는 경우이다. 우리가 이런 방법으로 앞서 말한 세 가지 개념어를 절합[articulation]한다면, 얻어낼 수 있는 조합은 다음과 같은 여섯 가지다.

문화+환경
문화+기술
환경+기술
환경+문화
기술+문화
기술+환경

만일 '문화'가 독립적으로 존재한다고 말한다면, 그것은 그냥 '문화'일 뿐이다. 그 공허한 의미를 채우기 위해서, 피터 버크[Peter Burke]가 상세하게 관찰한 대로,[6] 그 쓰임은 역사적으로 여러 논자에

---

6 Peter Burke, *What is Cultural History?*, Cambridge: Polity, 2008;

의해 귀납적으로 의미를 채워갈 수밖에 없다. 그렇다 해도 그 모호함을 완전히 채울 수는 없다. 그러나 '문화'가 '환경'을 만나게 되면, 그 의미작용은 새롭게 발현되기 시작한다. '문화'와 '환경'의 만남에서도 어느 개념이 선행하느냐에 따라 의미작용은 달라질 수 있다. '문화+환경'과 '환경+문화'는 명백히 다른 의미를 구성한다. 동양권 언어, 특히 한자어에서 이들의 결합은 독자적 조응照應의 방식으로 이뤄진다. 즉 '문화'와 '환경' 사이에 어떠한 조사나 어미 등과 같은 연결사가 없어도 이들은 만날 수 있다. 그러므로 복합 개념들의 의미는 간혹 모호해지기도 한다. '문화+환경'이 '문화와 환경'인지, '문화 또는 환경'인지, 혹은 '문화적 환경'인지 가늠하기 어렵다. 그러므로 한자어 개념의 결합들은 반드시 특정한 문맥 속에서만 이해해야 할 필요가 있다. 그러나 영어와 같은 서양어에서 이들은 특별한 경우를 제외하고는 명사형 그대로 만나지 못한다. 'and'나 'or' 같은 대등 접속사를 사용하지 않는다면 어떤 개념 하나는 반드시 다른 개념에 종속되어야만 한다. 즉 'culture'와 'environment'가 만난다면, 그것은 'cultural environment' 또는 'environmental culture'가 되어야 한다. 그러므로 이들의 지시성은 상대적으로 동양의 언어에 비하여 다소 명확해지게 된다. 그러나 동양어/한자어의 절합은 그렇지 않으므로 결국 그들의 명확한 의미가 무엇인지 문맥 속으로 들어가야 할 수밖에 없다. 따라서 앞

조한욱 옮김, 『문화사란 무엇인가?』, 도서출판 길, 2005, 45~89쪽 참조.

서 제기한 여섯 가지의 절합 방식은 독립적 개념어들보다는 복잡한 인간과 세계를 설명하는데 한 걸음 더 다가가기는 했으나, 그것 자체로 새로운 의미작용의 최후선最後線에 다가가 있지는 않다. 물론 동양어에서의 독립적 개념어들의 절합 또한 중심의 이동에 대해서는 가늠해 볼 수 있다. 예컨대 한국어는 대체로 중심어가 뒤에 나오고 이를 수식하는 말들이 앞서 존재하기 때문에, '문화'와 '환경'이 순차적으로 결합할 경우, 그 중심은 후행하는 '환경'에 있을 가능성이 높다. 그러나 중국어의 경우는 또 다른 논란을 드러낸다. 중국어는 때로는 중심어가 한국어와 같이 후행하는 구조일 수도 있고, 때로는 선행하는 구조일 수도 있다.[7]

이런 입론의 과정을 통해서 우리는 중요한 명제를 창출해 낼 수

---

7 비근한 사례로 한국어, 영어, 중국어 술어의 위치와 술어를 보충 설명하는 말들成分의 위치를 살펴보면 이 세 언어의 구조적 특징을 설명할 수 있다. 한국어는 한 문장 안에서 술어가 가장 마지막에 오며, 이를 보충 설명하는 말들목적어/부사어/보어 등은 모두 그 앞에 위치한다. 영어의 술어는 대체로 주어 바로 뒤에 따라 나오고, 이를 보충 설명하는 말들은 모두 그 뒤에 위치한다. 그러므로 한국어의 문장은 기본적으로 "언젠가는 술어를 말하지 않을 수 없는" 폐쇄형 구조라 할 수 있다. 영어는 "술어를 말해 놓고 무한하게 보충 설명어들을 덧붙일 수 있는" 개방형 구조라 할 수 있다. 중국어의 경우는 한국어와 영어의 절충적인 상황이다. 중국어의 술어는 문장 중간에 오며 술어를 보충 설명하는 특정한 말부사어은 술어 앞에 위치하고, 또 다른 특정한 말목적어/보어 등은 술어 뒤에 위치한다. 술어를 중심으로 파악한 문장 단위의 이 같은 분석은, 특정한 수식어와 피수식어 관계에서도 동일하게 적용된다. 한국어의 중심어는 관형어에 비해 후행하고, 영어의 중심어는 관계사나 부사, 형용사 등에 비해 선행하며, 중국어의 중심어는 때로는 관형어에 비해 후행하고, 때로는 선행한다.

있게 됐다. 그 명제란 즉 다음과 같다. "개념은 외롭지 않아야 한다." Conception should not be lonely. 혹은 우리는 이 명제를 조금 더 수사적으로 다음과 같이 표현할 수도 있다. "개념은 외롭지 않다." Conception is not lonely.

이러한 입론의 전개는 절합된 개념만이 우리의 세계를 설명할 수 있는 문제적 의미로 부상할 수 있기 때문이다. 그것은 곧 개념들의 절합이자 의미들의 절합이며, 그로 인해 발현되는 새로운 문제적 의미작용의 절합이다.

3 대립항의 의미작용과 현실의 사례들

그렇다면, 이 '개념 쌍' pair of conception 들이 어떠한 문제를 불러일으키는지 살펴볼 필요가 있다. 우리는 세 키워드를 상호 대립항으로 설정하면서 다음과 같은 세 가지 질문을 던져볼 수 있다.

> (1) '문화'는 항상 '환경'과 대립하는가?
> (2) '기술'은 항상 '환경'과 대립하는가?
> (3) '문화'와 '기술'은 항상 친연적인가?

이런 질문을 마주하면 우선 이런 방식으로 설명을 시도해 볼 수 있다. '문화'는 자연에 대응하는 인간의 방식이다. 이들의 관계는 때로는 대항적이지만 때로는 조화롭기도 하다. '문화'는 인간과 인간이 교류하는 방식이기도 하다. 이들의 관계 역시 대항성과 조화성을 동시에 갖는다. '환경'은 인간과 자연 사이의 친화적 태도다. 그러나 이들의 관계는 친화적이지만, 때로는 억압적이기도 하다. '기술'은 '문화'의 수단이기도 하면서, '문화'를 새로운 길로 인도하는 역할도 한다. 그러므로 '기술'은 '문화'에 대한 친연성을 강하게 내포하고 있으면서 동시에 '환경'과는 대항성을 갖게 된다.

또 이런 방식으로 설명할 수도 있다. '환경'은 인간이 모종의 기원^{자연}으로 회귀하려는 노력이다. 이는 '비근대화'$^{de-modernization}$를 대표한다. '기술'은 근대화를 대표한다. '문화'는 인간의 모든 활동과 행위를 포함하므로 역시 '근대화'^{modernization}와 '탈근대화'$^{post-modernization}$와 '비근대화' 모두를 대표한다.

그러나 어떤 방식이든 이런 설명들은 전체를 아우르지 못하는 듯한 논리적 귀결을 가져온다. 왜 그런가? 이런 설명들이 '문화' '환경' '기술'에서 가치를 배제한 채, 삼자가 모종의 본질적인 개념임을 전제하고 있기 때문이다. 그러나 역사적으로 살펴볼 때, 삼자의 개념이 본질적인 층위에서 의미를 발현한 적은 한 번도 없었다. '문화'든 '환경'이든 '기술'이든 그것들은 모두 사변적 개념으로서만 존재한 것이 아니라 현실적 삶의 층위에서 의미를 생성해 왔기 때문이다. 그러므로 우리는 이 개념들이 보유하고 있는 사변적 층위는 물론 현실의 층위를 모두 아우르면서 논의를 전개해야 한다.

앤 노튼$^{Anne\ Norton}$이 말한 바와 같이 "문화는 정치와 경제, 사회, 예술, 생활세계 등등에 보편적으로 존재하며 음성적^{negative}으로 이 모든 영역에 영향을 미치며, 이 모든 영역에 관계돼 있어 절대로 나누어 논의할 수 없다."[8]

그렇다면 '문화'란 도대체 무엇인가? 그 어원, 즉 서양어의 'culture'든, 동양어의 '文'과 '化'이든, 그것은 우리에게 더욱 아름답고 가치 있는 일체의 행위를 바라는 인간의 노력을 설명해 준다.[9] 그것은 가치가 부여된 행위다. 그렇다면 만일 '문화'가 '환경'과 '기술' 사이에 서 있다면, 양쪽의 장력은 그 자신에게 영향을 미치게 된다.

환경　　←　　문화　　→　　기술

환경적 인간[homo-ecologicus]　　　기술적 인간[homo-technicus]

그러므로 '문화'는 돌아가고 싶으나 거부할 수 없는 현대성이라는 이중적 속성을 내포하고 있다. 그러므로 '문화'는 목적으로서의 '환경'과 수단으로서의 '기술' 사이에 위치한다. 그런데 만일 이 양자의 수식 관계가 전도되면, 다시 말해 '수단으로서의 환경'과 '목적으로서의 기술'이라는 가치 전도의 사태가 발생하면, 우리는 갈등과 충돌의 국면으로 진입하지 않을 수 없다. 따라서 '환경'과 '기술'은 '문화'라는 가치의 방향성을 제시하는 개념들이기도 하다.

8　Anne Norton, 오문석 옮김, 『정치 문화 인간을 움직이는 95개 테제』, 앨피, 2010, 8쪽.

9　'문화' 개념의 광범위한 사용과 확장에 관해서는 Peter Burke, 조한욱 옮김, 위의 책 참조.

'문화'는 결국 때로는 '환경'에 대하여, 때로는 '기술'에 대하여 작동하는 것이다. 물론 '환경'과 '기술'도 언제나 대립적이라고 말할 수만은 없다. 이들 사이에도 역시 다양한 상호작용이 내포돼 있음은 물론이다. 즉 그것은 '기술'이 직선적 발전관을 어느 정도 부정하면서 '환경'으로 회귀하거나, '환경'의 필요가 '기술'의 발전을 요청하는 사례를 통해서 설명될 수 있을 것이다.

그럼에도 우리는 더 많은 여러 가지 사례를 통해서 '문화'가 '환경'을 파괴하는 사건들을 목도한다. 그 과정에서 '기술'은 '문화'를 창조하는 수단으로 기능한다. '기술' 진보에 관한 믿음은 때때로 그 자체를 목적으로 간주하기도 한다. 이런 파괴와 창조, 믿음의 전개 과정들은 곧 인간과 자연, 인간과 세계 사이의 무한한 대립만을 전시한다.

경상남도 양산시 일대는 특히 늪지대가 발달한 의미 있는 생태계 보존 지역이다. 1990년 한국 정부는 경부고속철도 노선을 확정, 발표하면서 대구와 부산을 잇는 구간에 바로 이 일대 천성산을 관통하는 13.28㎞의 터널을 뚫기로 결정한다. 2002년 주민과 환경단체의 반대가 잇따르자, 대안 노선을 검토하기도 했으나 2003년 9월 결국 원안대로 결정됐다. 그런데 이곳 천성산은 멸종 위기로 인해 보호받고 있는 1급수 환경 지표종인 꼬리치레도롱뇽이 대규모로 서식하고 있는 곳이기도 했다. 터널을 굴착할 경우, 산 위 습지가 파괴될 것이고 이는 도롱뇽 서식지의 멸실을 의미한다. 그 결과 생태계는 파괴될 것이다. 이에 '도롱뇽의 친구들'이라는 환경단체는 도롱뇽을 원고로 고속철도 공사 중지 가처분 소송을 제기했다. 고속철도 천성산 관통 저지 전국비상대책위원회도 구성됐다. 승려 동진과 지율, 많은 환경운동가는 끝까지 저항한다. 그럼에도 한국의 대법원은 2006년 6월 2일 '도롱뇽의 친구들'이 낸 소송에서 터널 공사가 주위 환경에 큰 영향을 미치지 않는 것으로 조사되어, 공사 중단 이유가 없다고 판결했다. 또한 '도롱뇽'의 지위를, 사건을 수행할 당사자 능력이 없는 자연물로 규정하여 소송 대상자로 인정하지 않았다. 천성산 터널은 2010년 11월 원안대로 공사를 마치고 개통됐다. 그리고 '원효터널'이라는 위선적 이름을 얻었다.[10]

아름다운 땅 제주도 강정마을에는 대한민국 해군기지 건설을 놓고 찬반이 뜨거웠다. 2007년 5월 당시 김태환 제주특별자치도지사는 고작 80여 명이 참가한 도민 여론조사를 근거로 강정마을을 해군기지 최우선 대상지로 선정, 발표했다. 이로 인해 강정마을을 보존하려는 마을 사람들과 건설 추진 측 사이에 극심한 갈등이 유발되기 시작했다. 마을 내부에 이견에 대한 합의 없이 해군기지 건설 사업은 이미 착수되었고, 2012년 3월부터는 구럼비가 대규모로 자생하는 구럼비바위가 폭파되기 시작했다. 이 사건 역시 강정마을 주민들이 국방부장관을 상대로 소송을 제기했다. 대법원은 2012년 7월 이 소송의 판결에서 피고 패소 부분을 파기하여 서울고법으로 사건을 돌려보냈다. 해군기지 건설은 원안대로 진행됐다.[11]

---

10 '천성산 도롱뇽 소송 사건'의 전개에 관해서는 다수의 관련 언론 보도 등을 참고하여 재구성했다.

이 두 가지 사례는 우리에게 심각한 문제를 제시한다. 이들은 모두 인간의 문화적 지향이 어떻게 '기술'이라는 수단을 동원하여 '환경'을 파괴하는가를 보여준다. 물론 우리는 또한 '문화'와 '환경'을 조화롭게 공존케 하고자 하는 사례도 본다. 해군기지 건설이 논란이 되는 제주도의 한쪽에서는 '둘레길'이 만들어져 인간이 자연을 만나게 하는 장으로 구성되고 있다.

대전 정뱅이마을의 사례에서 볼 수 있는 바와 같이, 오늘날 인간 공동체의 복원을 꿈꾸는 '마을만들기'라는 문화적 실천은 여전히 미비한 채 개선돼야 할 점들이 존재하지만, 그래도 유의미한 시도들이다. 그것은 곧 인간과 자연의 조화와 소통, 인간과 인간의 조화와 소통을 통해 공존을 모색하는 시도들이기 때문이다. 그럼에도, 우리는 더욱 이러한 가치 긍정적, 조화적, 소통적 관계들의 사례보다는 갈등과 충돌의 사례들이 우리 시대에 더욱 빈번하게 일어나는 중이며, 이러한 갈등과 충돌을 어떻게 해소해 갈 수 있을까 하는 문제에 더욱 관심을 기울이지 않을 수 없다. 이 역시 가치의 문제에 다름 아니다.

---

11 '제주도 강정마을 해군기지 건설 사건'의 전개에 관해서는 다수의 관련 언론 보도 등을 참고하여 재구성했다.

4 문제 해결 거리

세계의 현상은 크게 네 가지 요인으로 설명될 수 있다. 바로 '제도'制度/system '관습'慣習/custom '이념'理念/ideology '정서'情緒/emotion다. 이 네 요소는 인간, 사회, 세계를 규정하고 유지하는 가장 기본적인 틀을 구성한다. 우리가 앞서 말한 '문화'도 때로는 제도적으로, 때로는 관습적으로, 때로는 이념적으로, 때로는 정서적으로 구현된다. '환경'과 '기술' 역시 마찬가지다. 그런 까닭에 '제도'와 '관습', '이념'과 '정서'는 역사적historical이며, 현상적phenomenal이고, 가변적variable이고, 구성적이며constructive인 가치들이다. 앞서 말한 근본적이며 본질적이며 자발적이고 포괄적인 세 가지 키워드, 즉 '문화' '환경' '기술'은 인간과 세계를 구성하는 이 네 가지 요인, 즉 역사적이고 현상적이며, 가변적이고 구성적인 '제도' '관습' '이념' '정서'와 종횡으로 얽히게 마련이다.

조금 더 나아간다면, 앞서 말한 바와 같이 무수하게 발생하는 인간과 세계를 둘러싸고 발생하는 갈등과 충돌의 문제를 해결하는 방식도 이 네 가지 요인으로부터 시작할 수 있다. 모종의 문제가 발생하면, 그 문제를 제도적인 방향에서 해결하고자 하는 시도가 있으며, 또 관습적인 측면에서, 이념적인 측면에서, 정서적인 측면에서 해결하고자 하는 시도가 각각 존재한다.

그러나 다시 생각해 보면, 이 네 가지 방향의 문제를 해결하는 '거리'는 각각 다를 수밖에 없다. 문제problem를 중심에 놓고, 이 네 요소에 이르는 거리를 살펴볼 때, 우리는 [그림3]과 같은 상상을

그려 볼 수 있다. 나는 이를 '문제 해결 거리'^{Distance for Solving}
^{Problem}라 부르고자 한다.

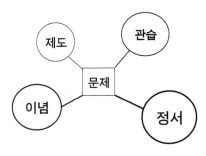

[그림3] '문제 해결 거리'의 개념

　중심에 문제가 존재한다고 할 때, 그로부터 가장 짧은 거리에
놓여 있는 요소는 '제도'라고 말할 수 있다. '제도'는 인간의 삶
혹은 현실의 가장 표층을 구성한다. 그러므로 '제도'는 매우 가시
적이다. 현실의 가장 바깥에 있으므로 그것은 문제에 접근하는 일
차적인 입구로 작용한다. 그래서 많은 사람은 '제도'가 바뀌면 문
제가 바뀌었다고, 혹은 해결됐다고 간주하기도 한다. 그도 그럴 것
이 '제도'의 변화는 그럴듯하게 현실의 변화로 간주되거나 혹은
설명될 수 있다. 가장 손쉽게 수행할 수 있는 변화이기 때문이다.
법령을 개정하거나 폐지하고, 조직이나 기구를 개편하는 일은 가장
쉽게 이끌 수 있는 변화다. 심지어 정치 체제를 바꾸는 혁명도 다
른 요소에 비해서는 물리적 어려움이 있을지 몰라도 상대적으로는
쉽게 접근할 수 있는 일들이다.

문제로부터 '관습'까지의 거리는 그보다 좀 더 멀다. '관습'은 역사적으로 형성되어 온 삶의 양식이며 행동의 스타일이다. 따라서 문제까지 접근하는 데 있어 '관습'적 해결 방식은 '제도'적 해결 방식보다는 다소 더 많은 시간과 어려움이 뒤따른다. 인간은 자신에게 신체화되어 있는 삶의 양식이나 행동 방식을 쉽게 바꾸려고 하지 않는다. 한국 정부는 2009년 법률을 개정하는 제도의 변화를 통해 수십 년 동안 유지해 온 '좌측통행'이라는 관습을 하루아침에 바꾸려고 했다. '관습'의 변화가 쉽지 않기 때문에 이렇게 '제도'의 변화를 통해 유도하려고 하는 노력을 시도하는 것이다. 그러나 '관습'의 변화도 '이념'의 변화에 비하면 상대적으로 짧은 거리에 놓여 있다. '좌측통행'이라는 '관습'은 여러 '제도'적 변화에 견인되어 '우측통행'으로 서서히 바뀌어 가는 중이다. 그렇게 본다면, '관습'은 자생하여 축적되고 신체화되어 내부적 요인으로는 쉽게 변화를 시도하지는 않지만, 외부적 충격이 가해질 때는 상대적으로 변화가 쉽게 이뤄질 수 있다.

더 어려운 요소, 문제로부터 그보다도 더 멀리 떨어져 있는 요소는 '이념'이다. 사실 어떤 '이념'들은 '관습'보다 더 가까운 역사적 시간 속에서 형성된 것이다. 물론 그 뿌리를 찾아들어 간다면 더욱 오랜 시간을 통한 축적의 역사를 발굴할 수도 있을 것이다. 그러나 '이념'은 매우 공고하게 계몽되고 교육되며 만들어진다. 베네딕트 앤더슨[Benedict Anderson]이 말하는 "상상의 공동체"[12]를 굳이

---

12 Benedict Anderson, *Imagined Communities: Reflections on the*

언급하지 않더라도, 민족주의의 사례에서와 같이 그 공고한 특성을 알 수 있다. 예컨대 한국인에게 있어서 북한이나 독도 문제, 중국인에게 있어서 대만 문제, 일본인에게 있어서 신사참배 문제 등은 강력한 민족주의 혹은 애국주의가 만들어 낸 산물이다. '이념'은 간혹 '종교'의 문제와도 연결될 수 있다. 종교적 신념이 '이념'의 수준까지 진화하는 경우가 그것이다. 종교적 신념 혹은 종교적 이념은 더욱 강력한 힘을 가지고 있어서 변화가 쉽지 않다. 그러므로 문제 해결에 이르기까지 '이념'이라는 요소를 활용하기에는 매우 오랜 역사적 시간과 또한 제도적 변화, 관습적 변화 등을 기획해야 할 필요가 있다. 그것은 어쩌면 당대에 이룰 수 없는 변화일 수도 있다. 그러나 그것이 분명 교육되고educated 계몽된enlightened 수동적 요소라는 사실을 유념해야만 한다. 이는 자신을 받아들이는 주체에게마저 마치 그것을 스스로 선택한 듯 속이기까지 하는 능력마저 지니고 있기에 위력적이다.

그러나 무엇보다 문제라는 중심으로부터 가장 멀리 위치하고 있는 요소는 역시 '정서'다. 문제로부터 '정서'까지의 거리는 매우 멀어서 가장 큰 어려움을 수반한다. '정서'란 무엇인가? 그것은 개인적 층위에서 발현되는 감정이기도 하지만 구조화된 인간의 감정을 의미할 수도 있다. 그러므로 레이몬드 윌리엄스가 간파한 대로 '감정의 구조'structure of feeling[13]는 인간의 삶과 현실을 파악하는 매

Origin & Spread of Nationalism, New York: Verso, 1991; 윤형숙 옮김, 『상상의 공동체: 민족주의의 기원과 전파에 대한 성찰』, 나남, 2004.

우 중요한 요소가 된다. '정서'란 예컨대 이런 것이다. "당신의 말은 옳습니다. 그러나 나는 당신이 싫습니다." 혹은 "당신의 말이 옳습니다. 그러나 그 말을 왜 당신이 합니까?" 이렇게 말하는 순간 문제 해결의 길은 멀어진다. 정서란 인간의 삶과 현실을 구성하는, 문제의 가장 심층에 놓여 있는 어떤 요소다. 그것은 자주 비가시적인 것으로 남아 있다. 따라서 우리가 어떤 문제가 발생했을 때, 그것이 '정서'로부터 비롯된 것인지 파악하기란 쉽지 않다. 꽤 오랜 시간이 걸려야 하는 경우조차 있다. 그러므로 어떤 면에서 우리가 문제를 해결해야 한다고 할 때, 그것은 '정서'로부터 출발점을 삼아 '이념'과 '관습'을 바꾸고 '제도'를 바꾸는 편이 훨씬 핵심적일 수도 있음을 알게 된다.

이들 네 요소는, 이미 눈치챈 바와 같이, 상호 작용^{interaction}한다. 어느 요소도 독립적으로 존재하지 않으며, 서로가 영향을 미친다. 가장 표층에 있는 '제도'는 바꾸기 쉬우나, 그 변화 이후에는 '관습'에 영향을 미친다. 그리고 어느 정도 '이념'과 '정서'에도 영향을 미친다. '관습'이 바뀌면 '이념'과 '정서'도 영향을 받을 수 있다. '이념'이나 '정서'의 변화는 '제도'나 '관습'에까지 삼투하면서 새로운 변화를 이끌 수 있다. 표층과 심층 사이에는 자주 삼투 현상이 발생한다. 이들 간의 관계에 관한 더욱 정교한 탐구는 앞으로도 계속될 필요가 있다.

13 Raymond Williams, *The Long Revolution*, Harmondsworth: Penguin Bks., 1961; 성은애 옮김, 『기나긴 혁명』, 문학동네, 2007.

물론 어떤 경우는 예컨대 '자본'과 같은 요소가 이들을 모두 아우르는 가장 중요한 요소가 될 수 있지 않을까 하는 물음을 던질 수 있다. 그러나 '자본'이라는 요소 역시 결국 '제도'의 한 양식일 뿐이다. '자본'이 위력적이기는 하지만, '이념'이나 '정서' 모두를 변화시킬 수는 없다.

그렇다면, 이제 다시 묻고자 한다. 이러한 상황에서 우리는 어떠한 지식을 생산해야 할 것인가? 이것이 바로 여기서 제기하려는 핵심적 문제다. 우리는 지금 21세기, 시대의 전환기를 살고 있다. 근대와 포스트 근대 사이에서 떠도는 지식인 정체성을 가지고 살아간다. 근대를 설명하는 무수한 개념어들은 이제 고착화하거나 낡아 빠져서 새로운 시대를 설명하지 못한다. 더욱 포괄적이고 근본적인 개념어들이 필요한 때가 됐다. 그것은 바로 '문화' '환경' '기술'이다. 이들은 중복적 조우를 통해서 새로운 의미작용을 구성한다. 그 의미작용은 단지 사변적인 것이 아니라, 매우 현실적인 층위에서 벌어진다. 이들은 갈등하고 충돌하는 중이다. 그렇다면 우리는 어떻게 이 갈등과 충돌을 해결해야 할 것인가? '제도' '관습' '이념' '정서'를 둘러싼 문제 해결 거리 개념은 대안적 사고가 될 수 있다. 깊이 뿌리박힌 '정서'로부터 '제도'에 이르는 길은 물론 험난함과 복잡함이 뒤얽혀 있다. 그러나 만일 우리가 그 길을 걸어가지 않는다면, 우리의 삶과 현실, 그리고 우리의 시대는 변화를 맞이하지 못하고 무수히 뒤얽히는 문제들만을 양산하고 말게 된다. 그러므로 우리는 이제 새로운 시대의 지식인으로서 문제들을 '해결'하기 위한 대안을 모색하면서, '환경'과 '기술' 사이에서 고민하는 '문화'적 지식인으로서 창조적 지식을 생산해야만 한다. 그것은 결코 '자본'과도 같은 위력적 힘에 굴복하는 것이어서는 안 된다. 그러므로 이런 논의를 우리는 '비자본적 지식 생산'에 대한 토론이라고 불러도 좋다.

[부록] 인문콘텐츠 담론의 주요 성과

[인문콘텐츠 총론]

권지혁 · 태지호, 「인문콘텐츠분야 연구사의 경향성 분석」, 『인문콘텐츠』 제51호,
  2018.

김교빈, 「인문학, 그리고 인문콘텐츠의 힘」, 『인문콘텐츠』 제36호, 2015.

김기덕, 「문화콘텐츠의 등장과 인문학의 역할」, 『인문콘텐츠』 제28호, 2013.

김기덕, 「콘텐츠의 개념과 인문콘텐츠」, 『인문콘텐츠』 창간호, 2003.

김기덕, 인문학과 문화콘텐츠: '인문콘텐츠학회'의 정체성의 문제」, 『인문콘텐츠』
  제32호, 2014.

김동윤, 「창조적 문화와 문화콘텐츠의 창발을 위한 인문학적 기반 연구: '융합
  학제적' 접근의 한 방향」, 『인문콘텐츠』 제19호, 2010.

김민형 · 임영상, 「디지털 시대의 인문학을 다시 생각한다: 인문콘텐츠에서
  지식콘텐츠까지」, 『인문콘텐츠』 제41호, 2016.

김 호, 「문화콘텐츠와 인문학」, 『인문콘텐츠』 창간호.

박경하, 「인문콘텐츠와 인문정책의 방향」, 『다문화콘텐츠연구』 제1호, 2002.

황동열 · 황고은, 「빅데이터 기술을 활용한 인문콘텐츠 분야의 의미연결망 분석」,
  『인문콘텐츠』 제43호, 2016.

황서이·박정배·김문기, 「인문콘텐츠분야 연구의 경향 분석: 토픽모델링과
  의미연결망분석을 중심으로」, 『인문콘텐츠』 제56호, 2020.

[인문정보학]

김 현, 「인문콘텐츠를 위한 정보학 연구 추진 방향」, 『인문콘텐츠』 창간호, 2003.

유동환, 「인문지식 기반 창작소재 서비스 모델 연구」, 『인문콘텐츠』 제36호, 2015.

이남희, 「인문학과 지식정보화: '지식정보자원관리법'과
  '한국역사정보통합시스템'을 중심으로」, 『인문콘텐츠』 창간호, 2003.

이동은, 「모바일게임 창작자의 인문정보 데이터베이스 평가와 제언」, 『인문콘텐츠』
  제36호, 2015.

이정연, 「디지털 시대의 인문콘텐츠 지식자원 구축을 위한 연구」, 『시민인문학』
  제16호, 2009.

임준근, 「인문 콘텐츠의 한자어 오류 검출 방법 연구」, 『인문콘텐츠』 제28호,
  2013.

최희수, 「인문지식 기반 창작자원 서비스 활성화 방안: 1920~30년대 신문 담론을
  중심으로」, 『인문콘텐츠』 제36호, 2015.

한동현 · 김상헌, 「시맨틱 웹 시대의 인문콘텐츠」, 『인문콘텐츠』 제12호, 2008.

[인문학과 문화산업]

김영애, 「문화콘텐츠산업의 기획」, 『인문콘텐츠』 창간호, 2003.
양징징, 「중국 실경공연(實景公演) 인상(印象) 시리즈의 인문콘텐츠학적 분석을
　　　통해 본 중국문화산업의 효과와 가치」, 『인문사회21』, 제11권 제4호,
　　　2020.
최혜실, 「문화산업과 인문학, 순수예술의 소통 방안을 위한 일고찰」, 『인문콘텐츠』
　　　창간호, 2003.

[인문학과 문화기술]

김기봉, 「질주하는 과학기술시대 인문학이 필요한 이유: "우리는 어디서 왔고,
　　　누구며, 어디로 가는가"」, 『인문콘텐츠』 제35호, 2014.
이유미, 「인문콘텐츠의 확장을 위한 인공지능인문학 시론(試論)」, 『인문콘텐츠』
　　　제56호, 2020.
최희수, 「인문학과 문화기술의 상생을 위한 과제」, 『인문콘텐츠』 제27호, 2012.
한동숭 외, 「미디어와 문화기술 그리고 인문콘텐츠」, 『인문콘텐츠』 제27호, 2012.
한동숭, 「문화기술과 인문학」, 『인문콘텐츠』 제27호, 2012.

[문화원형과 디지털콘텐츠]

강진갑, 「'경기도 문화유산 가상현실체험 시스템' 개발과 인문학자의 역할」,
　　　『인문콘텐츠』 창간호, 2003.
여지선, 「민요와 현대 동시의 소통과 인문콘텐츠의 향방」, 『동화와번역』 제24호,
　　　2012.
유동환, 「고건축, 디지털세트로 거듭나다: 문화원형과 디지털콘텐츠의 소통을
　　　담당할 기획자를 전망하며」, 『인문콘텐츠』 창간호, 2003.
유동환, 「문화콘텐츠 기획과정에서 인문학 가공의 문제」, 『인문콘텐츠』 제28호,
　　　2013.

[인문학과 스토리텔링]

강진우, 「인문콘텐츠의 스토리텔링 방향과 전략: 퇴계와 두향의 사랑 이야기를
　　　중심으로」, 『국어교육연구』 제64집, 2017.
최용호, 「인문학 기반 스토리 뱅크 구축을 위한 서사 모델 비교 연구」,
　　　『인문콘텐츠』 제11호, 2008.

[인문콘텐츠와 도시재생]

안상경 · 박범준, 「인간을 위한 도시재생과 응용인문학의 실천: '충주 향기 나는
　　　녹색수공원 가꾸기' 기본계획을 중심으로」, 『인문콘텐츠』 제18호, 2010.

[인문콘텐츠 교육과 인력 양성]

김경한, 「인문학진흥을 위한 교양학부의 문화학부적 운용」, 『인문콘텐츠』 제3호, 2004.

김기덕, 「전통적인 인문학 관련 학과에 있어서 '콘텐츠 교과목'의 보완: '역사학' 관련 학과의 사례를 중심으로」, 『인문콘텐츠』 제2호, 2003.

김기덕·김동윤, 인문학 기반의 '문화콘텐츠학' 수업론 정립을 위한 시론, 『인문콘텐츠』 제41호, 2016.

송은주, 「인문학적 관점에서 본 4차 산업혁명 담론과 교육의 방향: 일본과 독일의 사례를 중심으로」, 『인문콘텐츠』 제52호, 2019.

이남희, 「창의적인 문화콘텐츠 전문 인력 양성과 과제: 인문학(Humanities)과 창의성(Creativity)」, 『인문콘텐츠』 제10호, 2007.

정효정·전은화, 「인문콘텐츠를 활용한 학습자 중심스마트 학습 환경 개발: 목표기반시나리오를 기반으로」, 『학습자중심교과교육연구』 제16권 제9호, 2016.

[디지털 인문학]

김동윤, 「프랑스 '디지털 인문학'의 인문학적 맥락과 동향」, 『인문콘텐츠』 제34호, 2014.

김 현, 「디지털 인문학 교육의 현장」, 『인문콘텐츠』 제50호, 2018.

김 현, 「디지털 인문학: 인문학과 문화콘텐츠의 상생 구도에 관한 구상」, 『인문콘텐츠』 제29호, 2013.

김현·김바로, 「미국 인문학재단(NEH)의 디지털 인문학 육성 사업」, 『인문콘텐츠』 제34호, 2014.

서경숙, 「디지털 인문학 교수법의 이론 및 실제: 영미문학을 중심으로」, 『인문콘텐츠』 제38호, 2015.

오상희·이주은, 「모바일 미장센에 관한 디지털 인문학적 고찰: 국내영화 속 휴대전화 사용 장면을 중심으로」, 『인문콘텐츠』 제40호, 2016.

홍정욱, 「디지털기술 전환 시대의 인문학: 디지털 인문학 선언문을 통한 고찰」, 『인문콘텐츠』 제38호, 2015.

홍정욱·김기덕, 「'2014 세계 디지털 인문학' 학술대회 및 한국의 디지털 인문학」 『인문콘텐츠』 제34호, 2014.

참고자료

[한글]

권지혁·태지호, 「인문콘텐츠 분야 연구사의 경향성 분석」, 『인문콘텐츠』 제51호, 2018.

권택영, 『포스트모더니즘이란 무엇인가?』, 민음사, 1990.

김교빈, 「창간사」, 『인문콘텐츠』 창간호, 2003.

김기덕, 「4차 산업혁명시대 콘텐츠와 문화콘텐츠」, 『인문콘텐츠』 제52호, 2019.

김기덕, 「문화콘텐츠의 등장과 인문학의 역할」, 『인문콘텐츠』 제28호, 2013.

김기덕, 「인문학과 문화콘텐츠: '인문콘텐츠학회'의 정체성의 문제」, 『인문콘텐츠』 제32호, 2014.

김기덕, 「콘텐츠의 개념과 인문콘텐츠」, 『인문콘텐츠』 창간호, 2003.

김상환·박영선 엮음, 『분류와 합류: 새로운 지식과 방법의 모색』, 이학사, 2014.

김상환·박영선 엮음, 『사물의 분류와 지식의 탄생: 동서 사유의 교차와 수렴』, 이학사, 2014.

김영호, 「기술만이 살길이다」, 『한겨레』, 1998.1.1.

김욱동, 『모더니즘과 포스트모더니즘』, 현암사, 2004.

김일환·정유진, 「공기어 네트워크와 사회계층에 대한 관심의 트렌드」, 『한국사전학』 제18호, 2011.

김주영, 「우리 문화로 일본 인터넷 공략: '코리안 온라인'이 뜬다」, 『매일경제』, 1999.4.12.

김희경·남정은, 『트랜스미디어 액티비즘』, 커뮤니케이션북스, 2016.

노영희, 『디지털콘텐츠의 이해』, 건국대출판부, 2006.

미디어문화교육연구회, 『문화콘텐츠학의 탄생』, 다할미디어, 2005.

박기수, 「문화콘텐츠 정전 구성을 위한 시론」, 『문학교육학』 제25호, 2008.

박기수, 「한국문화콘텐츠학의 현황과 전망」, 『대중서사연구』 제16호, 2006.

박범준, 『소통의 문화콘텐츠학 학문적 체계 연구』, 한국외대 박사학위논문, 2014.

박병준, 「한나 아렌트의 인간관」, 『철학논집』 제38집, 2014.

박상천, 「"문화콘텐츠" 개념 정립을 위한 시론」, 『한국언어문화』 제33집, 2007.

박상천, 「문화콘텐츠학의 학문 영역과 연구 분야 설정에 관한 연구」, 『인문콘텐츠』 제10호, 2007.

박상천, 「예술의 변화와 문화콘텐츠의 의의」, 『인문콘텐츠』 제2호, 2003.

박상천, 「테크놀로지, 미디어, 문화콘텐츠」, 『인문콘텐츠』 제37호, 2015.

박상천, 「문화콘텐츠의 '즐거움'과 '재미'에 관한 연구」, 『한국언어문화』 제69호, 2016.

박장순, 『문화콘텐츠학 개론』, 커뮤니케이션북스, 2006.

성은혜·이한아름·배소영, 「신중년 여성의 여가로서의 팬덤 활동과 사회적 지지, 삶의

의미간의 구조적 영향 관계 연구: <내일은 미스터트롯> 팬덤을 중심으로」,
『관광학연구』 제45권 8호, 2021.
송원찬 외, 『문화콘텐츠, 그 경쾌한 상상력』, 북코리아, 2011.
신광철, 「문화콘텐츠학 연구사 정리의 방향과 과제」, 『인문콘텐츠』 제38호, 2015.
신광철, 「문화콘텐츠학과 신 실학」, 『한국실학연구』 제36호, 2018.
신광철, 「인문학과 문화콘텐츠」, 『국어국문학』 제143호, 2006.
신광철, 『문화콘텐츠학 입문』, 한신대 출판부, 2009.
안인자, 「문화분류와 문화콘텐츠산업 분류에 관한 연구」, 『한국비블리아학회지』
제17권 2호, 2006.
윤택림, 『문화와 역사 연구를 위한 질적 연구 방법론』, 아르케, 2013.
이광표, 「문화콘텐츠진흥원 출범」, 『동아일보』, 2001.8.23.
이기상, 「문화콘텐츠학의 이념과 방향: 소통과 공감의 학」, 『인문콘텐츠』 제23호,
2011.
이기상, 「지구지역화와 문화콘텐츠: 지구촌 시대가 기대하는 한국문화의 르네상스」,
『인문콘텐츠』 제8호, 2006.
이기상·박범준, 『소통과 공감의 문화콘텐츠학』, 한국외대 출판부, 2016.
이명규, 「아시아문화정보원의 문화자원 분류체계 연구」, 『한국문헌정보학회지』
제49권 1호, 2015.
이한섭, 『일본에서 온 우리말 사전』, 고려대 출판문화원, 2014.
인문콘텐츠학회, 「창립발기문」, 『인문콘텐츠』 창간호, 2003.
임대근 외, 『문화연구와 문화콘텐츠: 사례분석을 통한 학문적 실천』, 한국외대
지식출판원, 2014.
임대근, 「'곤혹'스러운 중국문화연구」, 『현대중국연구』 제11집 2호, 2009.
임대근, 「문화콘텐츠 개념 재론」, 『문화+콘텐츠』 제5호, 2014.
임대근, 「문화콘텐츠비평: 콘텐츠 액티비즘의 가능성」, 『인문콘텐츠』 제53호, 2019.
임대근, 「문화콘텐츠연구의 방법론 설정을 위한 시론」, 『인문콘텐츠』 제64호, 2022.
임대근, 「문화콘텐츠연구의 학문적 위상」, 『인문콘텐츠』 제38호, 2015.
임대근, 「문화콘텐츠의 기능과 '사회콘텐츠': '돌봄콘텐츠'의 가능성」,
『글로벌문화콘텐츠』 제58호, 2024.
임대근, 「문화콘텐츠의 분류: 비판과 대안」, 『글로벌문화콘텐츠』 제44호, 2020.
임대근, 「상하이영화 연구 입론」, 『중국현대문학』 제38호, 2006.
임대근, 「영화 <색/계>의 문화정치학」, 『중국학연구』 제46집, 2008.
임대근, 「주체 위치와 둘레 넘기 : "2007 인터아시아문화연구회 상하이대회"를
다녀와서」, 『중국현대문학』 제42호.
전충헌·김웅진, 「문화콘텐츠 지식체계의 구축 방안에 관한 연구」, 『문화산업연구』
제11권 3호, 2011.
정재철, 『문화연구의 핵심개념』, 커뮤니케이션북스, 2014.
정정호·강내희 편, 『포스트모더니즘론』, 도서출판 터, 1989.

정혁훈, 「지식정부로 거듭난다」, 『매일경제』, 1998.8.12.

조소연, 『한·중·일 문화콘텐츠 인력양성정책 및 지원프로그램 비교 연구』, 한국외대 박사학위논문, 2012.

최연구, 『문화콘텐츠란 무엇인가』, 살림, 2006.

태지호, 「문화콘텐츠2.0, 어떻게 접근할 것인가: 문화콘텐츠에서 인터콘텐츠로」, 『콘텐츠문화연구』 제1호, 2019.

태지호, 「문화콘텐츠 연구 방법론의 토대에 대한 모색: '문화'와 '콘텐츠'를 어떻게 다룰 것인가」, 『인문콘텐츠』 제41호, 2016.

태지호, 「문화콘텐츠학의 체계 정립을 위한 기반 구축에 대한 연구: 분과학문으로서의 위상 정립을 중심으로」, 『인문콘텐츠』 제5호, 2005.

태지호, 「스마트 미디어 시대의 문화콘텐츠 방법론으로서 담론 분석」, 『글로벌문화콘텐츠』 제25호, 2016.

편찬위원회, 『종교학대사전』, 한국사전연구사, 1998.

한상복 외, 『문화인류학』(개정판), 서울대 출판문화원, 2011.

황국성, 「한국문화콘텐츠진흥원 개원」, 『매일경제』, 2001.8.24.

柳父章, 서혜영 옮김, 『번역어 성립 사정』, 일빛, 2003.

綾部恒夫, 유명기 옮김, 『문화인류학의 20가지 이론』, 일조각, 2009.

矢野暢 엮음, 아시아지역경제연구회 옮김, 『지역연구의 방법』, 전예원, 1997.

錢理群, 길정행 외 옮김 『망각을 거부하라』 그린비, 2012.

Anne Norton, 오문석 옮김, 『정치 문화 인간을 움직이는 95개 테제』, 앨피, 2010.

Anthony Giddens 외, 김미숙 외 옮김, 『현대사회학』, 을유문화사, 2015.

Carlo, Ginzburg, 김정하·유제분 옮김, 『치즈와 구더기』, 문학과지성사, 2001.

Chris Barker, 이경숙·장영희 옮김, 『문화연구사전』, 커뮤니케이션북스, 2009.

Daniel Engster, 김희강·나상원 역, 『돌봄, 정의의 심장: 돌봄 윤리와 정치 이론』, 박영사, 2017.

Graeme Turner, 김연종 옮김, 『문화연구입문』, 한나래, 1995.

Hanna Arendt, The Human Condition, 이진우·태정호 역, 『인간의 조건』, 한길사, 1996.

John Fiske, 강태완·김선남 옮김, 『커뮤니케이션학이란 무엇인가』, 커뮤니케이션북스, 2008.

John Howkins, 김혜진 옮김, 『창조경제』, FKI미디어, 2013.

John Storey, 박이소 옮김, 『문화연구와 문화이론』, 현실문화, 1999.

John Storey, 백선기 옮김, 『문화연구란 무엇인가?』, 커뮤니케이션북스, 2000.

Lois Tyson, 윤동구 역, 『비평이론의 모든 것』, 앨피, 2012.

Sterling Lamprecht, 김태길 외 옮김, 『서양철학사』, 을유문화사, 1992.

Stuart Hall, 임영호 편역, 「문화연구의 두 가지 패러다임」, 『문화, 이데올로기, 정체성』, 컬처룩, 2015.

Th.W.Adorno & Max Horkheimer, 김유동 옮김, 『계몽의 변증법』, 문학과지성사,

2001.

The Care Collective, 정소영 옮김, 『돌봄 선언』, 니케북스, 2021.

Virginia Held, 김희강·나상원 역, 『돌봄, 돌봄 윤리: 개인적, 정치적, 지구적』, 박영사, 2017.

[중문]

陸谷孫 主編, 『英漢大詞典』, 上海譯文出版社, 1993.

李天鐸編著, 『文化創意産業讀本』, 遠流出版社, 2011.

王立達, 「現代漢語中從日語借來的語彙」, 『中國語文』 1958.2.

許愼, 段玉裁注, 『說文解字注』, 台北:天工書局, 1992.(영인본)

[영문|번역]

Baldwin, John R., Sandra L. Faulkner, Michael L. Hecht, and Sheryl L. Lindslery ed., *Redefining Culture: perspectives across the disciplines*, London: Lawrence Erlbaum Associates, Inc., 2006.

Benedict Anderson, *Imagined Communities: Reflections on the Origin & Spread of Nationalism*, New York: Verso, 1991; 윤형숙 옮김, 『상상의 공동체: 민족주의의 기원과 전파에 대한 성찰』, 나남, 2004.

Chen Haijing, "A Study of Japanese Loanwords in Chinese," M.A. Thesis, University of Oslo, 2014.

Ching-Chieh Kiu & Eric Tsui, "TaxoFolk: A hybrid taxonomy-folksonomy structure for knowledge classification and navigation," *Expert Systems with Applications*, Vol.38 No5, 2011.

Chris Barker & Emma A. Jane, *Cultural Studies: theory and practice*, SAGE, 2016.

Chris Smith, *Creative Industries Mapping Documents*, Department for Culture, Media and Sport, 1998; 2001.

Edward B. Tylor, *Primitive Culture* Vol. 1, London: John Murray, 1871.

Edward Said, *Orientalism*, Random House, 1978.

Elin K. Jacob, "Classification and Categorization: a difference that makes a difference," *Library Trends*, Vol.52 No.3, 2004.

Heide Brücher, Gerhard Knolmayer, Marc-André Mittermayer, "Document Classification Methods for Organizing Explicit Knowledge," Working Paper(modified version), University of Bern, 2002.

J.A. Simpson & E.S.C. Weiner, *The Oxford English Dictionary*, Oxford University Press, 1989.

John Hartley etc, *Key Concepts in Creative Industries*, SAGE, 2013.

Kathleen Gough, "Anthropology and Imperialism," *Monthly Review*, April 1968.

Kroeber, A. L., & Kluckhohn, C., "Culture: a critical review of concepts and definitions," Papers. Peabody Museum of Archaeology & Ethnology, Harvard University, 47(1), 1952.

Peter Burke, *What is Cultual History?*, Cambridge: Polity, 2008(2nd Edition).; 조한욱 옮김, 『문화사란 무엇인가?』, 도서출판 길, 2005.

Raymond Williams, *Keywords: A Vocabulary of Culture and Society*, Harper Collins Publishers Ltd., 1983; 김성기·유리 옮김, 『키워드』, 민음사, 2010.

Raymond Williams, *The Long Revolution*, Harmondsworth: Penguin Bks., 1961; 성은애 옮김, 『기나긴 혁명』, 문학동네, 2007.

Roland Barthes, "La mort de l'auteur," 1968; "The Death of the Author," *Image, Music, Text*, transl. Stephen Heath, London: Fontana Press, 1977.

Sterling Power Lamprecht, *Our Philosophical Traditions: a brief history of philosophy in Western civilization*, New York: Appleton Century Crofts, 1955; 김태길 외 옮김, 『서양철학사』, 을유문화사, 1992.

Xuexin Liu, "Chinese Lexical Borrowing From Japanese as an Outcome of Cross-Cultural Influence," *US-China Foreign Language*, Vol.10. No.9., 2012.

[인터넷]

유튜브 https://www.youtube.com
인문콘텐츠학회 https://www.humancontent.or.kr
핑크퐁 https://www.pinkfong.com
한국콘텐츠진흥원 https://www.kocca.kr
Online Etymology Dictionary https://www.etymonline.com
Oxford English Dictionary, https://www.oed.com

찾아보기

[중국어]

[일본어]

[영어]

[원출 서지]

제1장 「문화콘텐츠 개념 재론」, 『문화+콘텐츠』 제4호, 2014.
제2장 「문화콘텐츠연구의 학문적 위상」, 『인문콘텐츠』 제38호, 2015.
제3장 「문화콘텐츠의 분류: 비판과 대안」, 『글로벌문화콘텐츠』 제44호, 2020.
제4장 「문화콘텐츠비평: 콘텐츠 액티비즘의 가능성」, 『인문콘텐츠』 제53호, 2019.
제5장 「문화콘텐츠연구의 방법론 설정을 위한 시론」, 『인문콘텐츠』 제64호, 2022.
제6장 「문화콘텐츠의 기능과 '사회콘텐츠': '돌봄콘텐츠'의 가능성」,
      『글로벌문화콘텐츠』 제58호, 2024.
제7장 「문화·환경·기술: 의미작용과 지식 생산의 재구성」, 『문화+콘텐츠』 제1호,
      2012.

지은이 임대근

한국외대 디지털콘텐츠학부 교수. 한국외대 대학원에서 중국영화를 주제로 문학박사학위를 받았다. 한류를 포함한 아시아 대중문화의 교류, 문화콘텐츠담론, 문화정체성과 스토리텔링 등에 관심을 갖고 연구, 강의, 번역을 수행하고 있다. 인간의 정체성은 끊임없이 유동한다는 생각으로 트랜스아이덴티티transidentity 담론을 통해 세상이 사랑하는 이야기를 분석하고 설명하기 위해 노력하는 중이다. 글로벌문화콘텐츠학회 회장, 한국문화콘텐츠비평협회 회장을 역임했고, 한국외대 Culture & Technology융합대학 학장, 대만연구센터장, 융합인재연구센터장, 사단법인 아시아문화콘텐츠연구소 대표, 전주국제단편영화제 조직위원장, K-콘텐츠학술문화축제 조직위원장, 한국영화학회 부회장 겸 편집위원장을 맡고 있다. 최근 지은 책으로 『인간의 무늬』『중국 초기영화 1896~1931』『착한 중국 나쁜 차이나』 등이 있다.